国家出版基金项目
NATIONAL PUBLICATION FOUNDATION

《三联经典文库》

第二辑

2012 年国家出版基金项目

三联经典文库

143

中国通货膨胀论

杨培新 著

生活·讀書·新知 三联书店

图书在版编目(CIP)数据

中国通货膨胀论 / 杨培新著. -- 北京：生活·读书·新知三联书店, 2014.1
（三联经典文库第二辑）
ISBN 978-7-108-04591-1

Ⅰ. ①中… Ⅱ. ①杨… Ⅲ. ①通货膨胀－研究－中国
Ⅳ. ①F822.5

中国版本图书馆CIP数据核字(2013)第152435号

143 中国通货膨胀论

责任编辑　邵慧敏
封扉设计　蔡立国
责任印制　常宁强
出版发行　生活·讀書·新知 三联书店
　　　　　(北京市东城区美术馆东街22号)
邮　　编　100010
经　　销　新华书店
印　　刷　北京鹏润伟业印刷有限公司
版　　次　2014年1月北京第1版　2014年1月北京第1次印刷
开　　本　787毫米×1092毫米 1/32　印张 6.125
字　　数　84千字
定　　价　22.00元

《三联经典文库》出版缘起

适逢生活·读书·新知三联书店八十华诞，为弘扬传统，接续文脉，回报读者，服务社会，我们决定策划出版《三联经典文库》。

1932 年 7 月，生活书店在上海创办，此后，读书出版社和新知书店相继成立。本文库第一辑、第二辑所选图书，来自于这三家出版单位及其分支机构，以及 1948 年生活·读书·新知三联书店成立后的出版物，始于 1932 年，截至 1951 年，两辑各一百种。此为第二辑，涉及政治、经济、社会、军事、思想文化诸领域，涵盖专著、文集、散文、小说、诗歌、传记、报道等体裁，既有直面现实、追求真理、讴歌真善美、抨击假恶丑的原创作品，又有引介世界各国先进文化、传播新知、开启民智的迻译之作，真实记录了那一代知识分子的思考与探索、理想与愿景和对中华民族文化传承与创新所做出的努力与贡献。

本文库所辑入各书，多为名家名作，在版本方面，以初版一印本或经著译编者审定、修订、增订过的版本为首选，因此本文库又具有较为珍贵的版本价值和收藏价值。

本文库还将编选续辑，使之成为恢弘文化工程。诚挚希望读者给予批评和指正，帮助我们完善编选工作，再现三联经典作品之风采。殊为遗憾的是，由于年代久远，一些原著译编者及其后人未能取得联系并奉付稿酬，诚盼版权所有者与我们联系。祈愿三联前辈所创造的精神财富能薪火相传，为中华文化的伟大复兴增光添彩。

《三联经典文库》编辑委员会

2013 年 8 月

凡　例

一、本文库为重排本，由繁体字竖排版改为简体字横排版。

一、以忠实于原作、整旧如旧为编辑原则，对当时使用的专有名词、外文译名，以及民国时期的语言和特色予以保留。

一、原书注释如旧，编者所出的注释，均以“编者注”标明，以示与原书注释的区别。

一、对原书残缺或字迹漫漶之处，以□示代。

一、对繁简文本转换时的“如右”、“见左”一类，对应改为“如上（前）”、“见下（后）”。

一、对原书中各种错讹脱衍之处，直接订正，不再以其他符号标示。

一、对数字、标点符号的用法，在不损害原文语义的情况下，做必要的规范。

一、本文库各书均前插原书书影、原书版权页和文库版“本书出版说明”。

一、本书出版说明的撰写，以客观中立为原则，扼要介绍本书的内容、版本流转、著译编者的情况。

本书出版说明

《中国通货膨胀论》分析了抗战以来直至内战期间，国内通货膨胀之表象与症结，并对通货膨胀所引发的物价上涨、利率高涨、汇兑贬值、囤积居奇等后果逐一展开论述。本书共分五章，第一章主要列举抗战前、战时及战后的内战期间通货膨胀的具体表现，揭示导致其发生的深层原因和实质；第二章梳理战时和战后物价上涨发展过程，指出战时由物价管制而形成的统制经济系统最终失败，造成对民族工商业的损害和官僚资本的膨胀，并探讨了战后围绕生活指数而发生的政策变动；第三章阐述战时及战后以紧缩为主流的信用政策及其导致的高利率的诸多弊端，点明信用政策的实质；第四章介绍对汇率的管制和多次调整，及其未能遏制汇兑贬值的结局；最后作者分析了几种囤积居奇的投机现象。作者在论述中引用了大量统计数据，增强了本书的资料价值。

本书由上海生活书店 1948 年 2 月初版，此次出版以此版本为底本。

作者杨培新，1922 年生于广东省大埔县百侯镇。少年曾受教于陶行知、邹韬奋，十六岁攻读武昌中华大学经济专业，读书时加入中国共产党。1938 年 10 月，进入军事委员会政治部第三厅，任抗敌宣传队书记，曾在重庆、恩施、上海及香港等地媒体任职。1949 年起任中国人民银行行长南汉宸的秘书、专门委员，兼宣传处长，其间创建了金融研究所，以后历任《中国金融》编辑部主任、金融研究所副所长、国务院发展研究中心研究员、国务院经济技术社会发展研究中心研究员。主要著作有《中国经济动向》（1946）、《中国通货膨胀论》（1947）、《新货币学》（1947）、《旧中国的通货膨胀》（1962）、《中国的金融》（1982）、《论我国银行改革》（1983）、《我国经济体制改革新思路》（1988）等。

生活·读书·新知三联书店

2013 年 8 月

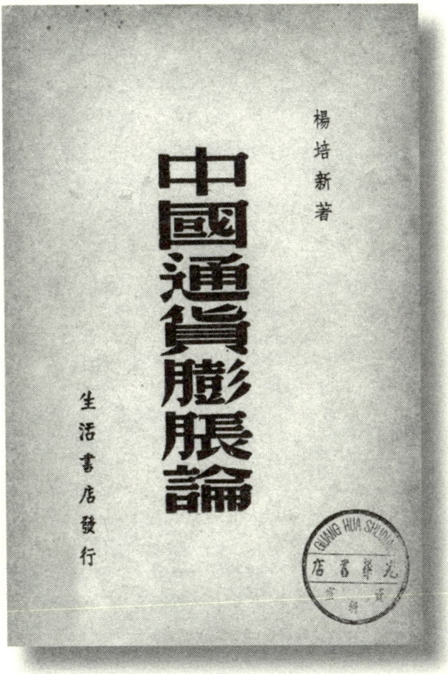

生活书店 1948 年 2 月初版书影

中國通貨膨脹論

基本定價國幣五元五角
·外埠酌加郵運費·

著者 楊培新
發行人 徐伯昕
發行所 生活書店
上海 福州路三八四弄四號
香港 皇后大道中五十四號
星加坡 吉甯街四十號A

中華民國三十七年二月初版

(136) S 2000

原书版权页

目次

马 序

吾友杨培新先生近著《经济新闻读法》一书，内容丰富，凡对于经济问题有兴趣者咸欲各执一本，以先读为快。惟近来各种经济问题，正在变动中，且变动频仍，令人莫名其究竟，莫名其将来，一切计划，均被破坏；预算收支失其平衡，商贾出入，明盈暗亏；工业凋敝；农村破产；萑苻遍地，天怒人怨。谁为为之，孰令致之。上帝有灵，曷勿速遣天兵神将把所有好战恶魔悉数歼灭乎？今日如野马狂奔的物价，使吾人终日血汗之所出，不得一饱；逼煞人的高利贷，使正当工商业，无法续命，调整不完的外汇，促外货如潮涌入，陷出口业于绝境；投机囤积，所在皆是，成功必于斯，失败必于斯，几与人民生活结不解之缘。然投机保值，囤积居奇，虽极普遍，卒未能增产于毫末，不过狡黠者，可以借此吮吸穷苦无告的老百姓之脂膏，结果演成贫富阶级的对立。国共之战，即阶级对立之具体化，兵连祸结，永无宁日，而民主式的白色帝国主义，犹虎视眈眈，在旁窃喜，真如鸡鹜在庖厨中争食，当其自鸣得意之时，而磨刀霍霍者，已睥睨于其旁，天下可痛可悲之事，莫有过于此者矣，长此以往，中国之将降为殖民地也无可置疑。杨培新先生有鉴乎此，特添著《中国通货膨胀论》一书，就以上所述各点，分章检讨，卒归因于通货膨胀，而通货膨胀之症结，乃在于内战，可谓一针见血，且所见与鄙人如出一辙，真所谓人同此心，心同此理。

民国三十六年五月十日马寅初序于上海永嘉路蓉园

第一章　天文学数字的法币

一　战前的和缓性通货膨胀

法币政策打下了通货膨胀的基础

中国流通的纸币，在实施法币政策之前，分为二种：一是中中交农四行所发钞票，一是商业银行所发钞票，这些钞票，当时都可以换成银元。其发行数字如下：

四行钞票流通总额	457（百万元）
其他十二个商业银行钞票	224
合　计	681

民国廿四年实施的法币政策，打下了通货膨胀的基础。法币为无限法偿货币，完粮纳税必须用它，银钱交易也得用它，它是强迫使用的。又规定了无限制买卖外汇，但实际上并未指定有多少外汇基金，而且并不能够持法币去兑取生金生银出口。由此看来，法币并非银行

钞票，而是政府钞票，法币正好是不兑现的纸币。

战前纸币膨胀

自廿四年十一月三日（法币政策开始实施之日）至廿六年“七七”以前，法币发行数量猛增为十四万万，即增加三倍许。其原因，起初为收回银元，必须增发。原来当时银元数约达十七万万元，实际上经常流通者约十万万元。后来增发的纸币渐渐加多，超过了原来的银元数。

抗战以前四行法币发行额统计

年　月	数额（百万元）	指　数
二十四年十一月三日	457	100
二十四年十二月	673	148
二十五年六月	948	207
十二月	1,242	273
二十六年六月	1,407	308

显然的，在战前通货已经开始膨胀，因为南京政府财政赤字的巨大，法币已渐运用来填补赤字。当时外汇价格因为英美的支持，尚无显著变动，但物价已开始上涨，纱厂等工业，因为物价上涨已有获利，和缓通货膨胀下的景气已出现。同时职工薪俸实值已开始减低。如果没有抗战，通货膨胀也要开始了。因此，战前时期，

我们可以说是和缓的通货膨胀时期。

二　抗战以来通货膨胀的一般情势

抗战期间及战后的通货膨胀

廿六年七月七日抗战爆发，由于中央政府没有正确的财政政策，没有真正执行有钱出钱的政策，法币增发逐渐成为筹措战费的主要方式，于是通货膨胀中最烈的纸币膨胀开始了。

抗战期间通货膨胀统计

年　月	笔者所得材料统计	财部统计处杨寿标所作指数
廿六年六月	14 亿	100
十二月		113
廿七年六月		123
十二月	23 亿	164
廿八年六月		213
十二月	42 亿	305
廿九年六月		431
十二月	78 亿	305
卅年六月		763
十二月	150 亿	1,076
卅一年六月		1,773
十二月	240 亿	2,442
卅二年六月		3,544

续表

十二月	750亿	5,357
卅三年六月		8,725
十二月	1,900亿	13,464
卅四年六月	4,000亿	28,289

卅四年八月日寇投降，抗战胜利。但是对外战争的通货膨胀方告结束，对内战争的通货膨胀反趋激烈。这才开始了最严重的通货膨胀。

内战期间通货膨胀统计

年　　月	笔者所得材料统计
卅四年八月中旬	5,000亿
卅四年十二月	10,000亿
卅五年六月	25,000亿
卅五年十二月	38,000亿
卅六年七月	118,000亿

内战期间通货膨胀是最剧烈的通货膨胀，较之战前和抗战时期，作更急速的发展。这正与第二次欧战后德国通货膨胀的情形相似，即是通货的崩溃性的膨胀不在战时，而在战后。

抗战期间通货膨胀的三个阶段

抗战期间的通货膨胀的手续是这样的：首先是因为

政府支出的庞大，收入不够支出，政府便向四个国家银行借钱，这是战争信用膨胀，四行为了应付赊借，加紧发钞，这便是纸币膨胀。这种纸币膨胀，便引起了物价上涨和汇兑贬值。

抗战期间纸币膨胀可以分成几个阶段：

慢进的通货膨胀时期自民二十六年到二十七年底，发行指数由一百升至二十七年的一百六十四。这期间因为内地法币流通区域的推广，许多不用法币的地方用法币了，所以未见显著的膨胀。抗战初起，曾经发行五万万元救国公债，并增加捐税，财政方向上原无大误，因此这一期间的通货膨胀是最轻微的了，只增加一点六倍。

通货膨胀转剧时期自二十八年至三十年底，发行指数由一百六十四，跃为一千零七十六。这时期由于沿海失守税收减少，同时政府当局对于时局有短期解决的幻想，认为不妨暂行发钞。二十九年发钞增加尤著。结果发钞增加了近七倍。

通货膨胀狂烈时期自三十一年到三十四年八月抗战胜利为止，指数由一千零七十六，增至三十四年六月的二万八千二百八十九，增加二十七倍。这时期当局本想增加收入，减少赤字，便推行田赋征实，统税征实，货物专卖，甚至湖北推行物物交换，但因此反而显得法币不值钱，自坏法币基础。同时这一征实，除了贬低人民生活，便利贪污外，政府所得的实惠并不多，故财政赤字并未减少，膨胀仍然加剧。

这三个时期，法币发行每年增加的统计如下：

抗战期间法币发行增加趋势表

年　月	较上年增加百分比	平　均
二十六年十二月		40.6
二十七年十二月	40.6	
二十八年十二月	85.9	87.2
二十九年十二月	83.6	
三十年十二月	92.2	
三十一年十二月	126.9	132.5
三十二年十二月	119.3	
三十三年十二月	151.3	

这就是说，至二十七年底，平均每年法币要加发百分之四十点六，二十八年起至三十年止平均每年增加率增为八十七点二，三十一年以后涨势增加至一百三十二点五，每年对翻一倍以上。

三　抗战期间反通货膨胀的斗争

通货膨胀剧化前夕

抗战爆发以后，财政支出大增。至廿七年底为止，已达三十万万元，其中租税捐款收入不过七八万万元。廿八年支出更多，廿九年因为物价上涨，支出数字更大。中央为了使通货膨胀合法化，廿八年九月八日公布《巩固金融办法纲要》，原来规定法币保证有六成现金（生金银外汇），四成保证（包括统一公债等债券）准备，特增加短期商业票据，货物栈单，生产事业之投资三项为准备，并且废除比例。这是掩耳盗铃的办法，实际上连这些都没有做到，竟以政府垫款的名义，中央银行便大发钞票了。

通货膨胀最初因为原来西南各省法币比较缺乏，一时物价的上涨也迟缓，远落于通货发行指数之后，廿九年起，物价开始猛涨，廿九年竟跃为战前十倍以上，远越发行指数，开始威胁到人民生活，于是反对通货膨胀的呼声便起来了。

反对通货膨胀的呼声

廿九年秋，重庆的经济学者和青年学生酝酿了反对通货膨胀的运动，马寅初氏目击通货膨胀的危险，大声疾呼以唤醒人民的注意。马氏在《时事类编》发表的《对发国难财者征收临时财产税为我国财政与金融唯一的出路》（廿九年十月）尤为其代表作，马氏认为政府以法币为工具，换取物资与劳力，不啻是一种租税。前数年（廿六、廿七、廿八、廿九）的战费，是完全由没有钱的人负担了。抗战以前法币只有十四亿，当时达六十余亿。这多出的法币便是剥削人民而来的。从前月薪三百元，现在只抵三十元，这二百七十元便是给政府征发出去了。下等人出力，中等人出钱，上层却在发国难财。前三年的仗是穷人打的，第四年的仗应该叫上等人拿出钱来，他们只要把一部分财产和存在外国的外汇拿出来，便可以支持战费。这样物价不会高，人民才能生活得下去。中国干脆征收临时财产税，也不必用公债方式。马氏并语重心长的指出，德国式的马克膨胀，无论战胜战败都会造成经济的紊乱。

但是，当局对这意见并不采纳，而且用了最大的压力，来粉碎这种运动。马寅初氏竟因此入狱，被软禁在贵州，后来又流放至东南。这无异宣告通货膨胀必将更激烈的施行。

三十三年反对通货膨胀的运动

三十年起，当局也挣扎着想增加税收，例如三十年四月，中央把省财政接管了，主要的在掌握田赋实行征实。同时进口税改从价征收，接办省营业税，加征战时消费税，并行盐、糖、火柴、烟类专卖。但是横征暴敛的结果，收入仍不敷支出，这是因为田粮、专卖、税收，完全被贪污的风气腐蚀了，中饱了。同时通货膨胀也逐渐剧化，在三十三、四年达到高峰。

通货膨胀继续进行，到民国三十三年战时经济危机便爆发了。许多工厂商店关了门，工商界才觉察到通货膨胀削弱了人民的购买力，使人民更穷困，结果是使货物滞销，工厂关门，商店倒闭。工商界便要求政府停止通货膨胀。这与当时的民主运动结合，要求改革财政政策，征用三亿美金存款，以充实国库，并停止通货膨胀。当时的参政会，也反映了这种呼声。在孔祥熙辞财长前后，反对通货膨胀运动尤其高涨。因此在俞鸿钧氏接长财政部时，表示愿以停止通货膨胀为目标。但是中央政府一方面是军费浩大，一方面是税收机构腐化，势须继续以通货膨胀弥补财政。

四　通货膨胀的恶性循环

这里我们要描写出来通货膨胀的恶性循环：由财政收支不足，到政府垫款，由政府垫款到通货膨胀，由通货膨胀到物价飞涨，物价飞涨减少了政府的财政税收、公债和发钞的收入，由于收入减少，更不能不实行通货膨胀，由于通货膨胀削弱了人民的抗战力量，引致战局的恶化。

政府收支不平衡

抗战八年间，政府的收入，始终赶不上支出。因此收入不平衡，差的数目，便靠向中央银行借钱弥补。

抗战八年政府收支决算表

年　度	支出	收入	赤字
廿六年（七一十二月）	15亿	10亿	5亿
廿七年	9亿	5亿	4亿

续表

廿八年	19 亿	5 亿	14 亿
廿九年	46 亿	6 亿	40 亿
卅　年	107 亿	17 亿	90 亿
卅一年	283 亿	85 亿	198 亿
卅二年	362 亿	232 亿	130 亿
卅三年	1,820 亿	租税收 314 亿	
卅四年（一—八月）	4,987 亿	租税全年 785 亿	

赤字依靠赊借弥补

国库支出庞大，租税收入不足支出，弥补赤字便要实行赊借，所谓赊借，就是财政部向中央银行赊借，其统计如下：

抗战期间赊借占支出百分比

年　　月	赊借收入占国库支出百分比
二十六年	26.84
二十七年	77.85
二十八年	85.95
二十九年	70.77
三十年	86.89
三十一年	70.33
三十二年	67.04
三十三年	78.89
三十四年六月	79.24
三十四年全年	90.00

中央银行的垫款

由于政府钱不够用，便要四行垫借钞票，三十一年七月各行停止发钞，发钞权集中，便只向中央银行垫借。这垫借的指数越大，四行发钞票的指数越大：

抗战期间四行对政府垫款指数表（二十六年六月为100）

年　月	政府垫款指数	法币发行指数
二十六年十二月	151	117
二十七年十二月	351	164
二十八年十二月	652	305
二十九年十二月	1,152	560
三十年十二月	1,927	1,076
三十一年十二月	4,678	2,442
三十二年十二月	10,242	5,357
三十三年十二月	27,855	13,464
三十四年六月	47,907	28,289

垫款付出以后，有一部分款项又存回到国家行局代理的公库里来，如此又可垫借出去，因此法币发行指数还没有垫款指数高。

连锁形的膨胀

如此，由国库支出增大到垫款收入的增大，到通货发行指数的增大，形成一个连锁。

抗战期间国库支出与法币发行指数表（二十六年六月为 100）

年　月	国库支出指数	赊借收入指数	法币发行指数
二十六年	100	100	117
二十七年	168	519	164
二十八年	189	697	305
二十九年	218	1,129	560
三十年	428	2,662	1,076
三十一年	810	6,090	2,442
三十二年	2,325	13,189	5,357
三十三年	5,281	35,551	13,464
三十四年六月	12,096	69,467	28,289

通货膨胀削弱了税收

战时财政的筹措不外乎三种方式：一是租税，一是公债，一是通货增发。抗战初期公债税收的数字尚不算小，但后来的通货膨胀政策却把上列二种收入完全毁了。这以下，我们要说明通货膨胀怎样毁灭了租税：

据伍启元氏的统计，抗战期间中国税收折合战前法币统计如下：

年　度	平均每月税收实值总数（单位：战前法币）	指数（战前为 1）
廿五年会计年度	70,000,000 元	1.00
廿六年会计年度	55,000,000 元	0.79
廿七年下半	58,000,000 元	0.83
廿八年	20,000,000 元	0.29

续表

廿九年	11,000,000 元	0.16
卅　年	13,000,000 元	0.19
卅一年	16,000,000 元	0.23
卅二年	15,000,000 元	0.22
卅三年	13,000,000 元	0.19
卅四年一至七月	10,000,000 元	0.14

战前政府的租税，主要的是关盐统三税，这三税百分之八十在沿海各省征收。抗战开始，沿海沦陷，税收大减。政府在关税方面，加征转口税和战时消费税。盐税方面，加征食盐附加税和国军副食费，并一度实行盐专卖。统税，曾提高税率，加多种类，并曾一度征收实物。一度实行的盐糖烟类火柴专卖，也是变相的货物税。直接税系统中的所得税，过分利得税，遗产税，印花税，营业税，一一开征，征收的对象，主要的却是都市各工商业。田赋改由中央接办并征收实物是政府最大的一笔收入，实值超过上述各税的总和。

由于通货膨胀，税收的数字年年猛增，然而实值并不大，而且逐渐减少，三十四年度，税收实值不过抵廿五年度税收的百分之十四。

由于法币贬值，税收的减少，中央便开始实物税收，三十年的田赋折征实物是一种，三十一年的盐糖烟火柴四种专卖是一种，卅三年棉纱面粉食糖统税征收又是一种，卅二年的花纱布管制局成立也是一种。自民卅年以后，通货膨胀成为无可回避的厄运，因此不信任法币的情形已经开始，税收的征实，当局设置统制经济机构，掌握物资，均为法币不信任的征象。这些措施产生了一些后果，一是由于掌握物资统制经济，增加了无数机构，形成财政税务人员的膨胀，增加了政府的支出。一是由于掌握实物，税收机构变为贪污的渊薮，专卖制度，统税征实，田赋征实，都成为最公开的贪污法门。（粮食部部长徐堪公开说：好人便不到粮食部里来。）经过这一切挣扎，税收的实值仍因通货膨胀而趋减少。

通货膨胀妨碍了公债的发行

公债方面的收入，在抗战以前是一笔大收入，政府收支缺额都靠这弥补。但由于通货膨胀，国币付本偿息的不值钱，国民都不愿购买公债，以免买入一张废纸。即是美金公债等在初发行时，都不受欢迎。

抗战期间发行的国内公债分法币、关金、美金、英镑等四种。

抗战期间中国内债统计

年　月	项　目	数　额	当时内债发行折合国币总数
二十六年	国币	15,022,000,000	517,000,000
	英镑	20,000,000	
	关金	100,000,000	
	美金	200,000,000	
二十七年	国币	530,000,000	1,132,883,907
	英镑	10,000,000	
	关金	100,000,000	
	美金	50,000,000	
二十八年	国币	1,200,000,000	1,200,000,000
二十九年	国币	1,200,000,000	1,532,183,907
	英镑	165,512,241	
	美金	166,666,666	
三十年	国币	2,400,000,000	2,400,000,000
三十一年	国币	1,000,000,000	3,000,000,000
	美金	100,000,000	
三十二年	国币	3,175,000,000	3,175,000,000
三十四年一月至六月	国币	5,000,000,000	5,000,000,000

折合率：三十一年以后美金一元合法币二十元。三十一年以前国币一元合十四便士半，合美金三角三分九。

捐献和售金的收入亦减

此外，政府还施行过各种捐献，并出售黄金，外汇，举办黄金储蓄，美金储蓄，这一切收入据伍启元氏约计如下：

（单位：战前法币 1 亿元）

年　　度	事业捐献收入	出售黄金，举办储蓄收入
二十六年	1.0	2.4
二十七年	0.7	0.2
二十八年	1.1	0.1
二十九年	0.6	——
三十年	0.4	——
三十一年	0.3	0.1
三十二年	0.1	0.3
三十三年	——	0.4
三十四年（七月为止）	——	0.3
共　计	4.2	3.8

这些收入的数字愈到后来愈少，这也是因为通货膨胀的关系。

财政支出的实值减低

战时财政的支出，实际上因为通货膨胀而不断缩小，伍启元氏按物价指数计算战时历年支出合战前法币数如下：

年　度	平均每月支出实值（战前法币）元	指数
二十五年七月至次年六月	150,000,000	1.00
二十六年七月至次年六月	197,000,000	1.31
二十七年七月至十二月	179,000,000	1.19
二十八年	133,000,000	0.88
二十九年	87,000,000	0.58
三十年	70,000,000	0.47
三十一年	66,000,000	0.44
三十二年	50,000,000	0.34
三十三年	38,000,000	0.25
三十四年一月至七月	42,000,000	0.28

同时发通货的收入，也因为法币贬值而日益减少。德国的马克，后来几乎不敷印刷成本。中国的法币虽然没有到这个地步，但是从财政上看来，也不怎么有利了。

抗战期间增发钞票所得的实值（单位战前法币）

会计年度	增发钞票实值（单位战前1亿）
二十六年	2.9
二十七年	4.3
二十八年	9.0
二十九年	6.3
三十年	5.1
三十一年	4.5
三十二年	2.8
三十三年	2.2

续表

三十四年一月至七月	1.4
合计	38.5

为什么明明知道依赖通货膨胀并不能够增加收入，而且要进入一个强迫的恶性循环膨胀?

五　战时财政的本质

为什么中国预算数字很大，而实值竟不及战前?

大家族掌握着财政

在这次世界大战，各国财政动员的程度都很高，例如英国的政府支出就占当年国民所得半数以上，美国的财政支出占国民所得百分之六十以上，苏联动员之彻底更不用说。但中国政府支出占国民所得的百分比，随着通货膨胀而趋于短缩，至三十三年度恐怕只占国民所得的百分之五。英美的财政是依靠战时过分利得税，向大户征收，使发战争财的人不能太肥。中国的财政是依靠通货膨胀，使中下层熬尽最后一点血汗。财政支出只占国民收入的百分之五，这百分之五，却是向绝大多数的赤贫征收的，那人口不及百分之一左右的大官僚的百分之九十以上财富却毫未征收，抗战帮助了大官僚资本进行蓄积。

中国战时财政的收入，伍启元氏认为有三大原则：走抵抗力最弱的路线，财务行政的便利，有钱者不出钱。财政的支出有三大原则：军事第一，一面建国，庞大机构。这是表露在外面的现象。

中国战时财政的最症结的问题，在于财政经济始终掌握在孔祥熙宋子文手里，他们是著名的大官僚资本家。这个集团在抗战期间，要达到一箭双雕的目的：一面抗战，一面资本蓄积，正如他们在政治上一面抗战，一面统一政权一样。

中下层负担着财政

战时收入的原则，便是抗战的军费向中下层征收；这个原则下，通货膨胀是最好的工具。间接税的加强，是加重中下消费者负担。直接税是向城市中小工商业课税。田赋征收，则由地主转嫁到农民身上。公债的派销，又普遍摊派到中小工商业，甚至乡村小农。我们都知道战时最发财的事业前期是套买外汇逃避资金，后期是购买黄金投机取利，这些国难财都是达官贵人发的。但是，财政当局始终拒绝向这般人征税或借债，马寅初氏因为主张对发国难财者征税竟至坐牢，后来参政会通过了征借在美存款三亿五千万美金，也因为上下交结的怠工，竟不实行。如果说不敢朝抵抗力强的地方征税，则抵抗力显然就在政权财权者本身。

支出为什么庞大？

战时支出的原则，军事费用确占第一，其中对内的军事费用并不少于对外的军事费用。同时维持政权本身的支出显然增大，第一，加强了党团特工宣传机构，这种机构对内斗争的意义强于对日抗战。第二，为了维持统治机构的给养，税收重重，膨胀了统税局直接税局专卖局花纱布管制局贸易公司这一类机构。公务人员由战前的一万五千人，扩展为三十万人。正由于军事政治经济统制机构庞大，把公务员的薪津压得很低，为了维系核心，另有办公费吃空额等陋规。这样正好腐化了削弱了这机构。所以当三十三年敌人由河南广西进犯时，财政经济政策怎样削弱了士兵战斗力，腐化了上层机构，都表现出来了，造成了空前未有的溃败。

通货膨胀的财政政策

财政经济政策中决定一切的，是通货膨胀；抗战财政政策如以一语道破，便是通货膨胀政策。靠通货膨胀，取得百分之八十的收入，靠通货膨胀打了八年的仗。通货膨胀在经济上进行极大的分解，促成了两极分化。大官僚集团，凭借着政权，逃避外汇，做黄金外汇投机，做独占性的贸易，依靠掌握发行权，拥有低利贷款，其财富不但已躲过了通货膨胀的剥削，而且反成为暴发户。但是中小银行中小工厂中下层人民，却被通货膨胀清算了，他们除了依附大官僚的可以稍得残羹外，大多数人全被剥夺了仅有的所得，其中尤以拿薪水过活的智识份子，公教人员，士兵，工人为最惨。对于这种通货膨胀，江浙银团巨子的陈光甫氏，也不禁摇头叹息，他认为这是中国财政紊乱政治纷扰贪污盛行的根源。即连法币制度献议人的顾翊群氏，也认为通货膨胀之下，中国的建设是根本无法进行了。

六　内战中的通货膨胀

和平幻象掩护下的通货膨胀

卅四年八月抗战胜利，全国物价狂跌了百分之五十以上，市场上银根紧迫，大家都想把货变成钱。货币价值似乎上涨了，给人民以币值逐渐提高的幻象。这时货币贬值和通货膨胀似乎已成为历史的现象，问题已是如何稳定物价下跌，如何展缓币值上涨。当时，法币按中储券二百折一，在收复区的购买力提高，物价约为战前的五百倍。后方物价由战前三千倍回跌至战前一千五百倍。当时有部分工业人士还惟恐币值稳定得太高，物价还要跌，曾要求政府维持物价在二千倍。伍启元氏主张维持在一千倍。抗战结束时，通货膨胀约为四百倍，即五千亿，他们都要求通货膨胀再继续一倍，达到一千倍为止。章乃器氏主张以通货膨胀扩大工业信用，伍启元氏列举复员生产等八项目标为通货膨胀的用途。

一面是和平空气的酝酿以及物价下跌，一面是积极备战，秣马厉兵及战费急剧膨胀。在物价下跌的幻象中，通货膨胀加紧了马力向前跑步。

为了与共产党竞赛接收收复区，政府使尽了最大的人力财力。在卅四年九、十、十一、十二四个月，政府的支出达五千四百亿，超过一至八月的四千亿。其支出，自然最大部分（约百分之八十以上）是在收编军队，送军队去打，完全是军费，名目则为紧急拨支。同时期内，一般生产复员的信用紧缩了，农贷每月已减至八亿，生产贷放减至六亿，四月合计只有五十六亿，外加紧急工贷廿五亿，商业黄金押放廿亿，金融业黄金贷放廿亿，不过一百廿亿。由于财政支出猛增，赤字加大，这四个月中间，法币发行总额，就由卅四年八月中的五千亿膨胀到卅四年十二月底的一万亿。结果，卅四年十月十一月间物价随内战的战火而上腾。

卅五年的结算

卅五年度初期，和平的空气荡漾，政府的总预算，军费之外，也列了一些复员建设预算，支出的总额为二万五千亿，军费为一万零九百亿。收入方面税收七千三百亿（土地税九百四十四亿，所得税四百亿，遗产税三百亿，货物税一千三百二十亿，关税七百亿），敌产出售六千二百亿，黄金外汇出售六千亿。当时估计赤字预算仅为五千亿元。但是内战的炮火，把这预算完全打垮了。

这里，我根据各方面所得数字，试作一个决算表。其中未列出的，我不拟以臆测来补足，已列出的，我敢相信是比较近乎正确的。

三十五年度总预算总决算表

项　目	预　算	决　算
岁出	25,249 亿	55,672 亿
岁入	20,054 亿	27,000 亿
赤字		28,000 亿

三十五年度总收入预算决算表

项　目	预　算	决　算
岁入	20,054 亿	27,000 亿
赋税收入	6,700 亿	12,000 亿
货物税	1,300 亿	4,500 亿
关税	700 亿	2,000 亿
盐税	2,700 亿	2,039 亿
直接税	2,000 亿	1,800 亿
土地税契税	400 亿	
所利得税	400 亿	

续表

遗产税	300 亿	
印花，营业税	900 亿	
敌产出售收入	6,200 亿	4,010 亿
黄金外汇出售收入	6,000 亿	

三十五年度总支出预算决算表

项　目	预　算	决　算
岁出	25,000 亿	55,000 亿
军费	10,950 亿	
复员救济费	5,049 亿	
教育文化费	1,079 亿	
省市补助费	2,500 亿	

预算决算的差额，普通都是以紧急命令拨支支付的，按过去的例子，其中至少有三分之二以上是军费。例如卅四年一月至八月，紧急命令拨支二千七百八十三亿，其中一千九百二十七亿为军费，连预算中的军费为三千一百七十三亿，占总支出百分之七十。俞财长称紧急拨支占全支出的百分之四十九点七。

军费占支出的百分比，有二点材料透露出来：一是俞财长卅五年六月的报告："从今年一至五月，政府已将本年度预算二万五千亿，用去一万五千亿，同期税收只二亿五千万元，巨额赤字由发行补足。"其中军费为一万亿，即百分之七十。二是南京联信所讯，政府八月份之总支出约为四千亿，其中军费占二千九百亿，约为百分之七十五。按战事发展情况估计，则上半年战事较缓和，约占百分之七十，下半年内战激化，约占百分之七十五。大概的估计，卅五年度军费为四万亿。

在这收入之外，还有二笔实物收入。一是田赋：卅五年度田赋实收为七成，即四千一百三十一万担，其中征实为三千九百三十五万三千五百四十二石。这是军队粮秣的来源。一是美军剩余物资和美国代运兵员，装备机械化师，训练海空军的费用，据美国方面估计为四十亿美金。

由此，我们可以得出比较可靠的通货膨胀数字：

抗战胜利以来的通货膨胀表

年　月	法币发行额	增加百分比
卅四年八月	5,000 亿	100
卅四年十二月	10,000 亿	200
卅五年六月	25,000 亿	500
卅五年十二月	38,000 亿	800
卅六年七月	118,000 亿	2,300

抗战期间，法币每年加发，最高是百分之一百三十二点五。抗战胜利以后，由卅四年八月至十二月，四个

月就加了一倍，四个月内战就用去了八年抗战相等的通货。卅五年度，发行额更剧增，由年初至年底，加发就达百分之四百，加了四倍。俞鸿钧氏称债款收入占百分之六十四点四八。这种增长确是惊人的。

卅四年底数字的推算，根据俞鸿钧部长的报告："抗战八年内政府共发行纸币一万零三百九十亿元。"这八年显指廿六年到卅四年底。卅五年中期的数字，亦根据俞部长报告（见前引一万五千亿支出，以发行弥补语）。卅五年底数字，是根据决算算出，李傥财次报告："卅五年度支出超过预算一倍多。"此外还根据可靠方面的数字。由以上数字看来，内战时期的通货膨胀远比抗战时期为烈。中储券发行额三万八千亿，法币已经超过它了。

通货加发的百分比

时　期	法币每年平均增加百分比
廿六年——廿七年	40.6
廿八年至卅年	87.2
卅一年至卅四年六月	132.5
卅四年（八——十二月）	100.0
卅五年	380.0
卅六年（七月）	300.0

卅六年度展望

卅六年度的财政情况，比卅五年度还要恶劣。

卅六年度财政收支预算

项目	数额
总收入	70,333 亿
赋税收入	36,112 亿
直接税	11,670 亿
土地税	2,240 亿
所得税	3,110 亿
过分利得税	2,000 亿
遗产税	1,200 亿
印花税	3,000 亿
营业税	800 亿
特种营业税	220 亿
关税	6,004 亿
货物税	12,172 亿
矿物税	300 亿
盐税	5,350 亿
物资出售收入	25,056 亿
财产孳息税资	356 亿
财部管售物资	5,000 亿
敌伪物资出售	8,000 亿
剩余物资	11,200 亿
余粮	400 亿
汇价变价	100 亿
公营事业盈余	7,882 亿
其他收入	1,071 亿
赤字预算	22,867 亿

续表

总支出		93,200 亿
	军费	38,135 亿
	建设费	15,534 亿
	复员救济费	14,223 亿
	行政经费	8,765 亿
	补助省市经费	6,515 亿
	教育文化费	3,422 亿
	债务支付费	2,561 亿
	第二预备金	4,045 亿

支出方面，显然这数字绝对不够。这预算是卅五年九月编制的，到年初为止，物价的上涨已达一倍到二倍（当时物价指数五千倍，二月中旬指数一万二千倍，这是中央银行指数，二月底某机关统计为一万八千八百倍）。依原预算再加物价指数，这七万亿的数字，一定要加五倍到十倍。军费方面，国防次长林蔚便说："军事复员费合并计算当占百分之五十以上，且该预算是根据九月间物价指数计算，士兵服装粮秣马草尚未计入，故军费之庞大将过此。因为全国兵员已达四百九十万人。"军费，大家都知道有二笔不算钱的大量补助：一是美军的协助，从弹药武器到粮秣运输。一是粮食的征

实，是军费能够低估的原因。但是美军的援助，今年估计到美国自身军费的缩减，未必能够如上年一样巨量援助，征实恐怕也未必能够超出卅五年度成绩，卅五年不如卅四年，已打了七折，卅六年可能更低，因为已没有对外战争的气氛，逼使人民缴粮。经济紧急措施方案的用意，便在于紧缩其他一切开支，集中打仗，其他开支是否可缩得了，不知道，军费的膨胀却是一定的。

收入方面，各种赋税都是从价征收的，随着物价上涨，一定可能足额。出售物资收入，便未必能如理想：敌伪物资共接收了一万二千亿，现在余存产业约六千八百亿，其中有大部分是工厂，房地产，仓库，能出售百分之五十即算好的。剩余物资号称八亿美金，实际上恐只值三亿美金（政府以驻华美军卅三、卅四年垫款国币一千三百亿结换，约合三亿美金），这些物资据江杓局长三月间报告，已接收者约一千万美元，已销售者六百万美元如依当时汇率，已售者不过国币七百亿元。一年之内要出售一万一千亿，中国市场未必有此胃口。最近说的出售国营事业，如中纺可售三万亿等，都不是一蹴可几，民间资力干涸，国营事业一年之内，能卖到二万亿就是好的。

卅六年财政的恶化

卅六年二月黄金潮发生后，宋子文辞职，张群就行政院长，张嘉璈就任中央银行总裁。两张上任之初，曾由俞财长代为宣布到卅六年四月为止的通货发行数字为六万亿元。为孔宋时代作一总结，而有另辟途径，而避免通货膨胀之意。孔宋运用的是黄金外汇，张拟运用的只有敌伪产业和国营事业，其措施是四月一日发行美金库券和公债，以国营事业为担保。分二期发行，四月十月各发半数，库券三亿美元，公债一亿美元。按当时汇价库券合三万六千亿法币。但是至八月十五日为止，库券实售约二千七百万美元，合三千二百四十亿法币，为数甚微，公债售出不过一千九百余万美元。政策上说已失败，故九月初一度中止出售，拟议取消。出售国有产业如中纺，中蚕，中烟，亦因受主不多，而且政府军布需求急迫，内部若干人士亦不愿放手而渐渐作罢。美国借款既未成功，黄金外汇无法补充，张嘉璈的应付财政，几乎是单线的发行纸币政策。五月廿三日俞鸿钧氏报告：

卅六年度支出预算九万三千七百余亿元，岁入赋税占百分之三十八点五，财产及物资售价收入百分之二十七点二，公有事业营业盈余百分之九点二，征借实物百分之一点二，合列七万二千亿，占岁出的百分之七十八点五，债款收入为百分之二十一点四。但一至四月执行情形，收入为二万余亿，支出为五万余亿，已差三万余亿。根据年中情形预测，税收可超过原预算三万亿，敌伪物资及剩余物资因汇率改变，可增收二万亿，美金公债库券可收四万八千亿，连同原预算，可收十七万亿。支出方面原列九万三千亿，估计五月到年底，尚需十二万亿，连同已支共十八万亿，加预备费二万亿，共为二十万亿。其估计方法，为一——四月月支一万二千亿，五——十二月为一万六千亿至二万亿。根据这数字，财政预算于五月七日通过追加为二十万亿元。

这预算显然并不切合实际。据合众社九月十日南京电：张群院长向四中全会报告，八月为止，已用去三十万亿元，税收年底可望达二十三万亿。实际上税收固有增收，如上海货物税，六月为止，计收近四千亿，但其他收入却未见增加，如所得税八月底只收足全年九千九百一十亿的半数。中信局出售敌产一至六月，苏浙皖区计四千亿元。物资供应局接收剩余物资，七月为止，共收一万三千五百六十九万美元。这笔物资，政府决定收归军用，不再出售。国营事业如中纺为了供应军布，不能转售。其他有价值资产亦已逐渐转入党政机构，无再出售之意。据章乃器八月估计，政府每月开支约四万亿到六万亿之间，每天发钞约一千亿到一千五百亿。每张万元大钞，成本已达三千元，估计卅五年印钞费为六千万美金，卅六年传每月需二千万美金。故五万元大钞已印好待发。至于合众社七月底电，通货发行已达三十万亿，则传闻过甚，一般估计七月底为止通货发行额约十一万八千亿元。至于军费占支出之比例，据魏德迈八月二十日报告，“政府预算至少有百分之八十作军费用”。

观乎卅六年一般趋势，政府逐渐已放弃维持法币维持物价的努力，更现实的追求黄金，美汇，物资。故已有的物资不再发售，不惜提高金汇官价，作牺牲汇价物价追求外汇的努力。政府最高当局九月十日曾慨叹胜利之初，曾有外汇九亿美元，较战前多五倍，可惜当时专家不肯赞同，立即改革币制，而仰赖外援。现剩美金有谓去年仅用三万万美元，剩五亿美元，方显廷氏则认为已耗去近九亿美金之巨的外汇。政府此一决策，近乎经济上长期作战之战略，走抗战后期的路，但币值必因此加速贬值。今年年底，支出总数可能在五十万亿，此数将有百分之八十以上依赖通货发行。

抗战后膨胀的剧化

战后通货膨胀，只有一种情形之下才发生，即是战败国，它为了实行赔偿或负担占领军费用，不能不实施通货膨胀。例如德国，和此次战后的匈牙利。中国在此次抗战胜利以后，确是胜利国家，中国所接受的敌产有四万亿之多，足抵抗战通货膨胀额之八倍。中国的沿海工商业完整无缺，税收应该激增，无论从那一方面说，通货膨胀都是不必需的。

中国财政的措理，俞鸿钧氏曾说如果和平而且安定，那是不成问题的。例如卅五年预算，总额二万五千亿，差额只有五千亿。支出方面和平复员建设费也很多，无怪乎有人认为这是财政的好转，预算求平衡的趋势。税收，尤其是关盐统三大税收，直接税收，都很有希望。沿海大都市只要安定下来，收入可以增加，而且掌握着偌大敌产，财政上绝对可以平衡的，这些都是抗战期间所无的有利条件。这种平衡是被战争破坏了的。促使通货膨胀的是比八年抗战更要剧烈的内战。敌产出售，后方的征实恢复，沿海关盐统直各税拼命开征，所得固然大，仍然不能满足军事消耗的缺口。于是便只好诉诸于通货膨胀，这通货膨胀又削弱了税收和敌产出售的实值。卅五年度，税收预算六千亿，实收一万二千亿，但是物价加了近十倍，这税收实值只及预算五分之一。内战更直接破坏了财源，例如青岛，天津，长春，北平，济南这些大都会，在战争的扰攘下，工商业都停顿了，税收便被毁灭了，这一带的政府机构反而成为财政上的负担。

中国财政的矛盾

很显然的，恶性通货膨胀对于财政上的影响是很严重的。从卅六年度的政府预算，可以看出中国财政有着四大矛盾：

第一，中国财政上对外依赖的加强，显示统治集团的利益与民族利益间的矛盾。抗战期间美国借款五亿美金，二亿买黄金出售，一部分发美金公债和美金储蓄券，这且不说；胜利以后卅五年出售敌产的收入，达五千亿，而卅六年度预算有二万二千亿得自出售美军剩余物资。这是财政上的对外依赖。此外，关税的收入，也很大，居税收的首位（关税预算卅五年度七百亿，早已超过），而关税收入的成为大宗，并非由于出超或出口增加，而是因为美国货的大量倾销。政府渴望五亿美金借款的告成。这都是依赖美国的加强，并非财政的正轨，而有损于民族利益的。至于外汇政策黄金政策之依赖美国，也很显然。

第二，美资伸入与税收的矛盾。抗战前统税收入为大宗，这是要民族工业出钱养政府，抗战以后统税恢复得很快，卅五年度预算收一千三百亿，实收四千三百亿。这是因为统税增加许多项目，而且加重了税率。目前统税的主要项目是：烟，面粉，棉纱，织染等。这几种工业因为美货还没有倾销，还可以赚钱，但是能维持多久已是问题。而税局征收率之高，已经使国烟成本高于外烟。其他如毛织，呢帽等工业，虽然蚀本，但政府的税收却毫无减少余地。货物税对于工业，营业税直接税对于商工业，都是打尽了主意的。这一切都证明了政府从重庆搬到南京，后方一切征实征购，战时苛政，不肯取消，而且把这带到了收复区，货物税直接税之苛细剥削，使税收于短期间便已足额。这是说：政府已不耐心培养正当税源，使民族工业休养生息，税收的杀鸡取蛋，确是事实。仅如此，已大有害于民族工业，更严重的还有美国货的倾销，无论是可以增加政府关税收入的美货，可以增加国库收入的剩余物资，全都是民族工业的劲敌，工商业的破产，会使所有税收减少的。

第三是通货膨胀与财政平衡的矛盾。廿七、廿八、廿九年，一元钞票抵一元用，物价不太涨，发钞票过日子既安稳又得利。但是钞票发多了时，便不行了。由于通货贬值，物价涨得快，税收涨得慢，政府便越来越觉得钱不够用。例如卅五年，物价涨了十倍，支出由二万五千亿增到五万亿，实际上所用的实值不过预算的五分之一，税收由六千亿增至一万二千亿，实收只五分之一。卅六年度税收加了三倍，即三万六千亿，年底总收也许不止，但到年度终了所收实值决不及年初的三万六千亿。（直接税据说要按物价指数征收，这是更利害的剥削了，但是它的机构恐怕还不胜任。）越是通货膨胀越是财政收支无法平衡。正如抗战期间历年总支出的实值减少一样，抗战后这更明显，政府支出了许多钱，却不能养饱公务员和士兵。宋子文一面膨胀通货，一面想勒住物价，这是通货膨胀在理财者内心矛盾的表现。通货膨胀间接的也打击了收入，促使财政不平衡。这就是通货膨胀剥削了公务员，工人，职员的购买力，造成工商业崩溃，减少了税收。中国现在买工业品和百货的人，一大部分是做公务员的，做职员的，和做工人的，而他们的所得却是愈来愈不值钱的薪水，这便是使工商业衰敝。中国的税收，直接税间接税营业税占一半以上，都由工商业出，工商业衰敝，倒号成风，会减少税收的。

第四是官僚资本与财政平衡的矛盾。年余以来，公务员和士兵的生活跌落到泥坑里去了，他们对战争的厌恶，自然日增月长，但是并没有沮丧了上层的“战志”，这原因便在于大官僚在内战中有利可图。抗战以前，全国的首富，是江浙财团，现在却是少数几个人了。由于通货膨胀，它削弱了任何集团的财富，他们自己却凭借着地位，用管制，用国营，来培养自己。外汇管制，便可以低价买取外汇，金融管制，他们便可以用低利贷款培养自己的银行；物资管制，便可网开一面，使自己的工厂躲开管制。凭借国营工厂，自己可以培养人才，扶植他们私有的工厂。此外管制与国营中，可以用直接的方式来积蓄资本——贪污。通货膨胀剥夺了人民的勤劳所得，乃至民间金融家工业家亦感受压迫；大官僚却借以迅速长成为全国首富。抗战以前，江浙财团可以影响政治，胜利以后，豪门可以不顾工商金融界的劝告，肆意决定各种政策，便由于他们自己有了势力雄厚的国家行局以及全套官僚资本与美国资本勾结，控制了国民经济之故。在卅六年度，官僚资本要为战争筹措的一笔战费，即中纺公司和招商局等的赢利，须达九千亿元。但是，同时用以扩充官僚资本的费用，即所谓国营事业建设费，却达一万亿元。官僚资本的成长到足以自立，是抗战胜利以后的事情，而它对于财政还是一个寄生虫，并不能增加国库的收入，反而要增加支出，也由此可见。而且，官僚资本的存在，既然威胁了民营工商业，使税收减少，那么，结果将是促使工商界与政府的矛盾，政府上层与下层的矛盾，职工农民和官僚资本的矛盾，都更加激烈。

七　地方货币及其膨胀

在中国战后通货膨胀的浪潮中，我们还要说明几种地方货币——东北和台湾的流通券，中央银行的新疆券，和中共区域的抗币。

台湾的流通券

台湾的行政制度在国民政府的规定中颇近乎殖民地的总督制。金融上也是半独立的，四行两局不设分行，另由台湾银行发行台湾流通券，台湾对国内法币规定兑换比率。

台湾原来流行的日人所发钞券有几种，在卅四年一月为止共发九万万元，以后每月有增加，尤当日军开始失败时发钞尤多。到七月已达十四亿，十月中旬增至廿七亿元。政府接收后，便冻结存款，换发新的台币。新的台币为了要国内法币隔绝，规定一比三十的汇率，即台币一元换法币三十元。

台币由于台湾行政公署预算不能平衡，已经开始通货膨胀了。卅四年十月，台币发行二千八百九十七亿八千七百三十五万一千九百五十元，卅五年七月便增至三万六千六百六十三亿八千八百八十三万三千一百五十元，九个月发行了二万三千亿元。

发行的台币用到工矿商业放款的，卅五年十月只有六十亿，仅合百分之〇点〇一七弱。同时台湾的存款，卅五年九月为止，有一亿七千九百万，连同商业银行存款，不过六亿元，只为发行额的百分之〇点〇〇一七。台湾银行的利率特低，存款日息二厘，放息五六厘。这种情况下，通货的发行显然是为了官僚资本的扩张。据报载台湾国营事业的筹备处特多，恐怕就是这些筹备处用了这些膨胀的通货。由于通货膨胀，卅五年底，台湾的物价比较战前高一百倍，比日本投降时高了十倍。

台币对法币的汇价是一元换三十元，黑市汇率稍低，一元只换廿三四元。卅五年八月法币外汇放长，台币汇率改为一比四十，后来又改为一比卅五，黑市维持在一比卅三。卅六年秋改为一比七十二。

台币的发行本来在隔绝法币的影响，结果自身也在膨胀之中，台币黑市中只值国币四十余元。倡议中央集权的人，常常攻击台币，这是毫无道理的，要没有台币，今天台湾人民与国内人民同陷入水深火热的境地。应该责备的是台币本身的发行，还没有勒紧，不够独立于通货膨胀的浪潮之外。

东北流通券

中央银行东北流通券的发行，其制度与台湾相仿，据东北经委会主委张嘉璈氏说："东北流通券是以东北的工矿业为实际准备。"东北流通券与伪满中央银行券，以一对一的比率收兑。当时伪满券的发行约一百二十亿。伪满币一九三二年开始发行时仅一亿四千万元，一九四一年为十三亿元，一九四四年增至五十八亿，投降时达八十亿，投降后达一百二十亿。苏军进入东北，发行的红军票为九十七亿二千五百万元。合计为二百二十亿之谱。

东北流通券用以兑换伪满券和红军票的约为二百二十亿。卅四年十一月杜聿明的东北保安司令部曾发行盖印法币达八亿元，直至卅五年三月才收兑。其后因为东北军队麇集达五十万人，日耗主副食即达十五亿，军费极为庞大。经济事业和交通事业都是蚀本的，贴补数字甚大。因此，东北流通券发行甚速，卅六年三月估计已达六百亿元。东北物价卅五年三月为廿六年指数的二百一十五倍，卅六年二月已达一千一百五十一倍，猛增五点二七倍。

东北流通券与关内法币的比率，本为一比十三，因为流通券的贬值较之法币有过之而无不及，黑市已降为十比一，甚至八比一，一年来较法币贬值尤快百分之十八。

新疆的流通券

新疆的“中央银行新疆流通券”，规定一元换法币五元。新疆省政府仍然要施行通货膨胀，以养数十万大军。但是维吾尔族、哈萨克族监视甚严，例如卅五年冬要搬运在新的五十万两黄金便遭反对。因此制止通货膨胀已成为少数民族斗争的口号。

共区的抗币

此外，我们要来谈到抗战期间产生了的一种很具特色的货币，即是抗币，中共曾承认这是一种地方性货币。

中共在卅年前后在敌后各地建立了抗日游击政权。他们最初是用法币的，敌人便把法币往中共解放区挤，造成通货膨胀。后来他们便发行了抗币。抗币是通称，即是抗日政权的货币，实则随地区不同有好几种货币，每一个地区都有银行，都有货币。其中有晋冀鲁豫边区银行，晋察冀银行，陕甘宁边区银行，山东的北海银行，鲁西银行，苏北的华中银行，江淮银行。

抗币是政治性很浓厚的货币，同时也是中共自认为搞经济工作最大的成就。它的产生经过，可以山东区黎玉和杨波氏的报告来说明。

山东自“七七”后游击队到处发展，发行了五十几种地方流通券。廿八年国民政府部队撤退，中共建立其游击政权。廿八年秋日寇成立华北联合准备银行，收兑法币，以法币套外汇并向自由中国及解放区套买物资。中共便发行了北海票作为辅币，一方面保护法币，订定比率，禁用伪币。卅年以后敌人占领上海，法币已不能夺取外汇，遂专用来套取物资，要把法币挤往解放区，造成通货膨胀，并掠夺物资。于是法币跌价，物价飞涨：

山东物价指数（法币为单位）

年　份	粮　食	必要品	土产品	综合指数
廿六年	100	100	100	100
廿七年	136	146	121	135
廿八年	362	274	188	275
廿九年	731	590	1,388	903
卅　年	2,141	2,110	2,730	2,327
卅一年	8,199	8,737	8,848	8,595
卅二年	51,407	47,682	42,879	47,656
卅三年	109,949	377,314	678,788	388,684

在这种情势下，卅一年下半年山东开始限制法币流入，提高抗币价值。当时的抗币发行量很小，法币为主，因此货币流通量也掌握不住，于是抗币成为法币附庸，随之俱跌，物价继涨。直至卅二年下半年中共才抛弃货币上的法统观念，先在山东滨海区试验，宣布停用法币，并且将法币往敌人占领区排挤，使抗币独立。半年后，物价稍定。卅三年上半年在山东的鲁中鲁南渤海地区相继停用法币。卅三年年底，抗币的价值才稳定下来。由于法币排出，抗币又少，有的地区物价降落，有的地区物价便暂缓上涨。其统计如下：

地　区	卅三年 一月	卅三年 六月	卅四年 一月	卅四年 八月
滨海	100	110	98	127
鲁中	100	87	69	139
鲁南	100	116	75	147
胶东	100	152	264	296
渤海	100	79	69	91

抗币的价值也随之提高。抗币与法币原来是对等行使，卅二年底法币五元换抗币一元，卅三年法币一元换抗币二角，卅四年春约合四分。卅二年上半年伪币一元换抗币七元八元，卅二年底伪币一元换抗币一元五角，卅三年秋为一对一，卅四年八月伪币只值抗币三厘到二厘五。

抗币的价值在卅五年二月为止，据中共宣布其比率如下：晋察冀银行券一元换法币一元七角，晋绥银行券一元换法币一元五角，晋冀鲁豫银行券一元合法币五元，华中银行券一元换法币三十元，山东北海票每元合法币二十元。

抗币的发行据称是为了对日实行经济斗争，并不是以此为军队财政来源，因此发行量极少，并有物资及工厂商店资产为准备，纸币的发行也完全充作工商贷款。

据中共公布，一九四六年二月为止，曾发放大批贷款，其中晋察冀贷出抗币四十亿，晋绥贷出二亿，晋冀鲁豫十五亿，苏皖五千万元，山东二万万元，折合当时法币约一百九十三亿八千万元。由以上数字看来，中共即是对工商生产贷款也是采用信用紧缩、少发钞票的审慎方针。

抗币的发行数量，据卅五年七月财政评论调查，计有下列数字：华中银行（苏皖四十八县）抗币，已发约合法币七百八十三亿，北海银行（总行临沂、山东一百零四县），已发约一百亿，鲁西银行发行五十亿，中原军区曾在湖北发行中原边币，已发半亿。陕甘宁边区，陕边币已发十亿。晋察冀银行发行察边币一百零三亿，晋绥边区银行发行绥边币，汾阳西北农民银行发行西北边币，冀南银行设邯郸发行冀南边币，冀辽热发行热边币，东北安东辽西银行发行辽西券一百亿，齐齐哈尔东北银行发行东北券一百廿二亿。

苏北抗币的发行，其价值便以一元换小麦一斤为准，以物资保证币值，而不以金汇为准备，这是中共货币制度的精神所在。卅五年四月其比率为一元对法币四十元。

抗币在抗战期间曾经是使沦陷区人民逃避伪联银券伪储备券的通货膨胀剥削的工具，这一点不容否认。抗战胜利以后，据说政府在政协会议曾要求取消，国民政府舆论对抗币更鸣鼓而攻之。自内战激化以后，政府军队所到之处，即禁用抗币。冀东苏北一度被政府占领后，政府中有部分人士主张折价收兑，以免绥靖区（政府占领中共地区）人民损失，有人主张根本否定。结果是苏北冀东抗币都不见了，用不着焚毁或收兑，但在地下流通，其价值据传华中银行券为一元折合法币四十三至四十六元。此外中共在北满发行了东北银行券，与政府的东北流通券价值相差无几，据政府方面报纸报导，东北流通券八角可兑东北银行券一元。

第二章　野马狂奔的物价

通货膨胀之下，最重要的现象，便是物价高涨。战前法币政策实施，通货和缓膨胀时期，物价已逐渐上涨，几达一倍。战争开始以后，通货膨胀逐渐激化，物价的上涨也愈加严重。几年来，物价问题成为最受注意的经济问题。

一　抗战期间物价上涨情势

战时物价指数

战时物价指数，据中央银行的统计，如以廿六年一月至六月为一百，上涨速率如下：

重庆二十二种基要商品趸售物价指数（加权几何平均）

廿六年七月	97	卅年十二月	2,848
廿六年十二月	98	卅一年六月	4,162
廿七年六月	103	卅一年十二月	5,741

续表

廿七年十二月	104	卅二年六月	11,250
廿八年六月	120	卅二年十二月	20,033
廿八年十二月	177	卅三年六月	54,470
廿九年六月	336	卅三年十二月	54,860
廿九年十二月	1,094	卅四年六年	155,300
卅年六月	1,726	卅四年八月	179,500

另据财政部统计处杨寿标氏所作统计如下：

物价及购买力指数表（以重庆二十六年上半年为 100）

年　　月	重庆趸售物价指数	货币购买力指数
二十六年六月	98.8	101.21
二十六年十二月	98.3	101.73
二十七年六月	128.2	78.00
二十七年十二月	164.0	60.97
二十八年六月	209.3	47.77
二十八年十二月	355.4	28.13
二十九年六月	596.6	16.76
二十九年十二月	1,276.2	7.83
三十年六月	1,556.6	6.42
三十年十二月	2,736.6	3.65
三十一年六月	4,844.0	2.06
三十一年十二月	7,776.0	1.28
三十二年六月	13,013.0	0.76
三十二年十二月	20,930.0	0.47
三十三年六月	42,840.0	0.23
三十三年十二月	58,774.3	0.17
三十四年六月	213,320.0	0.04

上举二种物价指数统计，中央银行较稳健而未尽合于上涨速度，胜利时，仅达战前的一千八百倍。财部统计，物价上涨二千一百三十三倍，货币贬值至〇点〇四，这还是胜利前二月的数字。

口岸沦陷以后物价也在上涨，如以上海为例，其统计如下：

上海物价及货币购买力指数（上海二十六年上期为100）

年　　月	上海趸售物价指数	货币购买力指数
二十六年六月	101.9	98.14
二十六年十二月	114.2	87.57
二十七年六月	117.3	85.25
二十七年十二月	134.6	70.29[1]
二十八年六月	161.0	42.11
二十八年十二月	299.8	33.36
二十九年六月	426.2	23.46
二十九年十二月	493.9	20.25
三十年六月	719.4	13.90
三十年十二月	1,209.7	8.27

（太平洋事变后未列）

上海物价上涨较后方为缓，二十六年到三十年底，只涨了十二倍，较后方少一倍。这是因为上海口岸拥有许多物资，而且外汇的抛出，促使外汇投机的缘故。

[1] 原书此处脱墨严重。——编者注

物价为什么涨?

物价为什么上涨?完全是因为通货膨胀的缘故,兹列法币发行增加表与物价增长表如下:

年　月	法币发行		重庆趸售物价	
	指数	较前期增减	指数	较前期增减
二十六年十二月	117		98	
二十七年十二月	164	40.6	164	67.3
二十八年十二月	305	85.9	355	116.4
二十九年十二月	560	83.6	1,276	287.6
三十年十二月	1,076	92.2	2,737	114.4
三十一年十二月	2,442	126.9	7,776	184.1
三十二年十二月	5,357	119.3	20,930	169.1
三十三年十二月	13,464	151.3	58,774	180.8
三十四年六月	28,289		213,320	

物价上涨的三个阶段

如将通货膨胀分为三个阶段,则通货膨胀速率与物价增涨速率比较如下:

法币发行增加数	重庆趸售指数	每年平均增加百分比
第一阶段二十六年至二十七年	40.6	67.3
第二阶段二十八年至三十年	87.2	172.8
第三阶段三十一年至三十四年	132.5	124.0

第一阶段,法币每年平均加百分之四十一,重庆物价加百分之六十七。这是和缓的通货膨胀期。

第二阶段，法币增加率已趋涨至百分之八十七，物价也随之突晋，达百分之一百七十三。这是通货膨胀转剧的现象。

第三阶段，法币增加平均率，已涨至百分之一百三十三，物价平均涨率只有百分之一百二十四，这是因为二个因素，阻滞了物价。一是因为通货膨胀逐渐削弱了购买力，物资的需求减低了。一是物价管制，多少扭曲了物价上涨。

抗战开始到廿七年底，这时期，因为通货膨胀较缓，一般人并不因为货币贬值而抬高物价，上涨多半因为物资缺乏。这种物价上涨是战争信用膨胀的影响。因为军队和政府机构扩大了，军费增加了，购买力大为增加，这庞大的购买力，却配应着沿海沦陷后物资的日益减少，当然要引起物价高涨。这时期由于抗战动员，很少人失业，物价上涨反而推动了若干新事业。这时期，有的商品反而下跌，例如出口物资，丝茶桐油。由此可见，抗战初期由于财政经济政策还比较循乎正轨，通货膨胀未烈，物价也还比较安定。

廿八年到卅年底太平洋战争爆发，通货膨胀已由潜伏而显著。由于政治上的团结已现裂痕，国民政府忙于反共，同时也就由抗战初期的团结走向分裂，于是财政经济上走向更多的倚赖通货膨胀，压榨中下阶层，而且官僚资本也逐渐以囤积居奇，外汇逃避，贪污等方式，来蓄积资本。这时期，通货增发甚多，同时，后方的商品开始猛涨。其中，尤以廿九年的粮食暴涨和棉纱暴涨，领导了全部物价上涨。这时期，所有物价都无例外的上涨了，同时涨得很快。

卅一年至卅四年八月，这时期通货膨胀是众目彰彰的趋势，谁也不隐讳了，同时政府也着力于征实，掌握物资。这时期通货膨胀恶性循环的一切征象，更显著了。由于通货膨胀剥夺了士兵，公务员，教职员，职工的购买力，货物已经卖不出去了，这便形成一种现象：一面物资缺乏，一面是无钱买货，这是中国式的生产过剩，我们可以称为战时经济危机。这危机于卅二年便开始了，生产总指数由卅二年的五百二十点四一，跌至卅三年的四百七十点一二，其中消费用品指数由一千零一十点〇一，跌至八百四十九点九四。工厂减产裁工，大厂勉力维持，小厂早已停歇。这种情形下，失业人数增多，购买力更形减退。这种情形却阻障了物价上涨。同时限价政策开始，当局的管制加紧，这就造成了物价不平衡的上涨，例如物价与工价，成品与原料，外货与国货的全盘脱节。这种情形下，通货膨胀的过程，对劳动人民的剥削更大了。

物价上涨的不平衡

第三阶段所激化的物价上涨不平衡率，最为显著：

第一各类物价的不平衡，中央银行会把物价分成食物、纤维、燃料、金属、木材杂项等六类，这六种物品上涨得便不一致。卅年以前最贵的是金属，但后来相形减低了。卅四年七月，食物约为战前的一千四百倍，纤维为三千倍，燃料为三千五百倍，金属为二千八百倍，木材为二千倍，杂项为八百倍。一般而论，战争开始时日用品奇缺最贵，其后因为要生产日用品而工厂复工，生产用品五金机器等，暨工业原料最贵。有一度粮食最贵，因为被管制了，政府又控制有征实米谷，游资投机转向到纱布，纱布大涨。这种不平衡性，大体上是农产品最初涨得多，后来涨得缓。五金机器及工业出品，起初涨得凶，后来甚至回跌。物价差额造成的利润，工业家只有廿九年至卅二年获利，地主则始终获利。

第二原料品与制成品涨价不平衡，卅一年，重庆的原料品指数为三十二倍，半制品为五十二倍，制成品为一百二十六倍。这是工业利润最厚时期。但至卅二年底，因为制成品有限价，原料无限价，这比例便改变了。如以廿八年为基期，卅二年度糖酒涨上一百八十九倍，酒精涨一百二十五倍。这都造成了都市工业的衰退。

第三物价与工价上涨的不平衡。战时并没有生活指数作为工价决定的依据，也没有完整的工资材料供我们研究。我们姑且以士兵生活为例，说明全盘薪工阶层(从教授、职工、到官兵）报酬的恶化。卅三年十月改善后的官兵待遇，将官收入合战前货币八元至二十元，尉官为一元二角至三元。士兵每月得数百元，合战前货币不及一元。连同实物计算，官兵待遇约合战前五十分之一到三分之一。其中将官与士兵的差额约为三百比一，少尉与上将差额为一比十。这又是多大的悬殊。

据杨西孟氏统计战争九年来昆明大学教授的薪津和薪津实值如下，由此可见其生活的艰苦及通货膨胀的剥削。

年　代		生活费指数	薪津约数	薪津实值
廿六年	上半年	100	350	350.0
	下半年	108	270	249.5
廿七年	上半年	115	300	260.8
	下半年	168	1200	178.5
廿八年	上半年	273	300	109.7
	下半年	470	300	63.8
廿九年	上半年	707	300	42.4
	下半年	889	330	37.1
卅年	上半年	1,463	400	27.3
	下半年	2,357	770	32.6
卅一年	上半年	5,325	860	16.5
	下半年	12,619	1,343	9.9
卅二年	上半年	19,949	2,180	10.6
	下半年	40,499	3,697	8.3
卅三年	上半年	82,986	9,417	10.0
	下半年	143,364	17,867	10.7
卅四年	上半年	430,773	56,650	10.9
	下半年	603,900	112,750	18.5
卅五年	上半年	514,290	142,660	27.3
（一至五月底）				

第四各地物价的不平衡。由于战时交通阻绝，各地物价的波动，居然各成一个范围。例如战争初期以重庆为最高，上海为最低。后来则以昆明等地为高。这都是因为各地物资转运，需要的运输费很多的缘故。

二　物价管制带来了统制经济

物价管制的由来

由于物价上涨太快，发钞票已经成为不太有利的事情了。这就使当局趋向于物价管制。

法币增发实值下降表（二十六年六月为100）

年　月	法币发行 指数	法币发行 剔除物价影响以后
二十六年六月	100	100
二十六年十二月	117	112
二十七年六月	123	86
二十七年十二月	164	88
二十八年六月	213	61
二十八年十二月	305	79
二十九年六月	431	63
二十九年十二月	560	40
三十年六月	763	48
三十年十二月	1,076	41
三十一年六月	1,773	9
三十一年十二月	2,442	6
三十二年六月	3,544	5
三十二年十二月	5,357	8
三十三年六月	8,725	4
三十三年十二月	13,464	4

法币增发的实值，竟由一百跌至四。法币贬值物价高涨，对于政府自身也是很大的打击。因为打仗期间，

最大的购买者是政府及其军队，他们势必要高价购买商品。结果强迫节省物资，并降低士兵公教人员生活，间接的沮丧了士气。于是政府当局不能不采取物价统制政策。

物价管制的形成

物价统制政策的形成，在民卅年以后。抗战初期到廿七年初，政府因为物价有涨有跌，不加干涉，只救济一部分出口物资。廿七年三月至廿七年六月，政府统制外汇，但是不统制物价。廿七年六月至廿八年十一月，政府开始干涉物价，颁布法令。廿八年十二月至廿九年底，成立日用必需品平价购销处。但是廿九年米粮飞涨粉碎了这种限价政策。

卅年成立了经济会议，又设立了粮食部，但物价仍然上涨。卅一年又将经济会议改组为国家总动员会议，经济部加设物资局。卅一年底开始实施蒋兼院长的“加强管制物价方案”，当中规定重要物品若干种，严格实施限价，同时凡经管制价格之物品，自生产出厂以及运贩销售，一律实施登记，管理买卖，必要时并得由各级管制机构径行强迫征购。这便奠定了当局由统制物价而造成的统制经济的基础。然而这种统制，并不能扼止物价上涨，到了民卅三年五月，物价已涨过战前四百倍，国民党十二中全会，通过《加强物价管制方案紧要措施案》，一套八股时文。国家总动员会议，终于民卅四年三月九日撤销了。存在的四十六个月中，物价上涨了五十倍。

统制经济系统

要平抑物价，首先必须停止通货膨胀，平衡财政收支。但是国民党当局不愿意将抗战财政的负担，加重到巨富身上。一面实施通货膨胀，一面管制物价，这是掩耳盗铃，自欺欺人的办法。但是，管制物价却无形中建立了政府的统制经济系统，对于若干工业的生产到出售，全盘统制，如重工业轻工业各重要产品，无不限价。而且往往只管成品不管原料，这就造成物价的畸形现象，即不限价物品往往狂涨，限价物品的原料涨过成品。中国政府本来是官僚机构，管制物价时管成品不管原料，管涨价不管跌价，终弄得生产停顿。管制物价的口号下，统购统销，这更是官僚资本打击民族企业家的工具，如花纱布局、生产局、工矿调整处、日用品供需处，都廉价迫购民营厂出品，待价而沽。

囤积居奇自然也是促进物价上涨的一个动力。自统制经济实施以后，经济特务——经检队横行，民间绝不敢囤积，倒是政府机关和公营机构开始囤积，例如花纱布局，农民银行等。囤积居奇是物价暴涨下的副产物。因此，八年抗战的物价管制，是完全失败的。但是当局却也达到了一个副目的——即是损民族工商业以自存，从统制经济当中，削弱了民族企业家，膨胀了官僚资本家。

三　战后物价的再度高涨

物价由跌而涨

抗战胜利，带给人民以和平建设的幻象，那时候，物价开始下跌了。八月中旬下跌的速率很快。后方布匹百货颜料下跌百分之四十，五金电料下跌百分之二十，黄金由十七万跌至十二万元，美钞由三千跌至一千八百元。这时物价由战前三千倍，跌至一千五百倍左右。（当时各地物价不平衡，重庆成都超过二千倍，贵阳西安超过三千倍，昆明几达六千倍。）收复区如用法币折算，物价约为战前的三百四十七倍。较后方尤低。

卅四年九月底至十一月底，物价开始回涨。上海物价与后方相差四倍，上海的物价便开始上涨。十月上涨至五百八十五倍，十一月涨至战前二千倍。大后方物价也回涨了，十一月较九月份高涨百分之二十至四十。

卅五年二月春节起，中国的物价又进入新的内战时期，开始猛涨了。全国物价水平，又涨上战前的二千五百倍，收复区内的食粮因苏锡迫购军粮上涨超过大后方，物价上涨的领导地区，由重庆移至上海。

卅五年三月起，当局为了要稳定民心，放胆内战，宣布了二千零二十的汇率，希望以便宜的美国货引进来平抑物价。这种做法开始是颇收效果，但是不久米粮棉纱的涨价，便打破了粉饰的太平。到了九月间，外汇渐枯竭，汇率提高到三千三百五十，物价便猛涨百分之五十以上。其后棉纱面粉黄金美钞的价格都一跳再跳。到十二月间因为外汇枯竭，外汇售出甚少，黑市已涨上七千，黄金也已涨上三百七十余万，各种货物也猛涨百分之五十。卅六年春节后，中国物价已进入新的狂涨时期，黄金二月十日为止，已涨至九百万以上，美钞涨至一万五千，米粮涨至十五万元，各货上涨在一倍左右。中央银行本来有黄金外汇作为平抑的工具，现在因为卅五年度用尽了，便表现了束手无策。接着当局在二月十六日颁布了经济紧急措施方案，宣称要冻结全部物价，但是中央银行统计，二月十三日物价指数为一万二千倍。

按照通货膨胀由卅五年底的一万亿涨至三万七千亿，加了近四倍来说，物价水平在卅五年初至年底由九百倍涨至六千倍，重庆由二千倍涨至四千倍（据千家驹氏估计，物价上涨约至战前一万倍），可以说，涨得并不多。这原因便在于美国货的倾销，和国内经济危机的影响。美货暨联总物资美军剩余物资合计，约值十亿美金，这种大量倾销，冲淡了物价上涨。

但是这种政策正好加强了国民经济的崩溃。由于美货倾销，物价抑住了，但是国内工业的原料却不断上涨，终至国货成品售价不及成本。这促使了工商业的崩溃，倒号关厂停工减产，又增加了失业人数，使大众购买力愈形降低。美货倾销和大众的赤贫化，成为物价上涨的阻力。

卅六年度物价

经济紧急措施颁布以后，到三月底为止，据中央银行统计，上海物价跌落了百分之三点九，重庆跌落了百分之二点五。这是因为金钞对于物价确有领导作用，而停闭金钞市场以后，这领导作用隔绝了。同时冻结在金钞上的游资，因为当局的严缉黑市，也不能大量出笼。同时商品市场施以军事性的“监查”，短期内发生了作用。这时期游资由商品而转移到证券。

卅六年四月又升起一次涨风。这次涨风不像卅五年的历次涨风，并不以金钞为主导。而以米，油，纱，生活必需品为领导，上涨的倍数白米为三倍弱（十一万涨到卅万），食油为二倍强（廿五万元涨到五十六万元一担），纱涨一倍弱（廿支特双马由三百四十余万涨至六百六十余万元），时间经过一月之久。

卅六年六月底涨风又起，因为魏德迈来华，可能促成美国贷款，没有涨得起来。八月十五日政府改订外汇市价由一万二千升为三万八千，而且追随黑市随时挂高，于是九月初物价又起第三次涨风，至十月仍未止。

卅六年度与前不同的，是资源的绝对枯竭，黄金六百万两，外汇九亿美元，敌伪物资及剩余物资，几乎全在卅五年度消耗于和缓通货膨胀平抑物价上涨。卅六年二月的黄金潮，把这空虚显露出来。因此一年来物价的上涨是惊人的。

据：男龙桂氏根据中国经济研究所物价指数改制统计，卅六年一月至九月物价指数如下：

一月	1.00	六月	3.61
二月	1.75	七月	4.52
三月	1.79	八月	4.82
四月	2.17	九月	5.42
五月	3.17		

根据密勒士评论报估计，卅五年物价上涨平均每月百分之十五，全年涨百分之五百三十六，卅六年度物价上涨平均百分之二十五，每三月平均上涨一倍，一年可能上涨十六倍。

抗战时代，法币发行与物价上涨的相关系数为十点九九七一。

方显廷氏及其中国经济研究所的物价统计均以廿五

年为基期，据方氏统计，民廿五年发行为十四亿。民卅五年底发行较战前增二千五百倍，物价涨了八千倍，物价比发行快三倍。民卅六年四月为止，发行增至五千倍，物价为三万倍，物价比发行增五倍。又七月底止，发行为八千四百倍，物价为四万六千五百倍，比率为一与五点五三之比。相关系数变化了。

卅六年度物价的涨风，与米煤花纱油物资的绝对缺乏，有密切关系。流通物资的缺乏（据估计国民所得仅为战前的五分之二），货币发行的加速，和通货流速的增加（上海行庄抽查三十家，统计活存流速卅六年一月为十九点七，二月为三十二点三，三月为三十六点一，四月为三十八。战前为二，增加十九倍之巨），致使物价上涨益速。

总之，卅六年度物价上涨与卅五年大不相同，其速度快，而且涨风展开的时期加长，间歇回跌期缩短，这一切均为接近货币总崩溃的象征。

胜利以来物价统计

胜利以来，全国物价的波动，据中央银行的统计，重要商品趸售物价指数如下：

年　月	重庆	上海
三十四年八月	179,500	
九月	122,600	
十月	118,417	34,508
十一月	135,085	37,862
十二月	140,448	99,252
三十五年一月	133,712	92,842
二月	141,750	175,604
三月	147,800	255,994
四月	177,530	258,231
五月	187,896	380,725
六月	171,648	372,375
七月	155,561	407,182
八月	158,318	428,550
九月	186,891	509,156
十月	209,440	536,300
十一月	236,406	531,738
十二月	268,763	571,313
三十六年一月	353,708	686,833
二月	492,369	1,066,450
三月	439,050	1,120,846
四月	502,178	1,425,258
五月	640,057	2,431,333
六月	945,340	2,993,071
七月	1,353,563	3,116,857
八月	1,471,667	3,298,000
九月	1,865,826	4,325,300

中央银行的物价指数，以二十六年上半年为基期，采加权几何平均，包括项目为二十三种，其中食物十一种，纤维三种，燃料二种，金属两种，建筑材料二种，杂项两种。总计食物占百分之四十七点八，出口物占百分之十七点四，动物产品也多。其指数侧重农产品，不重工业品及外国输入品，因为抗战时期海口失去，外货甚少，故几乎成为农产品物价指数。由于二十六年上期物价已因准战时而上涨，同时农产品价格向来低于工业制品及外来货物，故其指数往往低估了物价上涨的倾向。

方显廷氏主持的中国经济研究所，亦编有上海批发物价指数，其特色有三：一是以二十五年为基期，因为该年物价最平稳，而二十六年上期为准战时，物价已上升了；二是其指数以基期为一，而非一百，使倍数更简明；三是其指数兼重纤维，杂项物品，进口外货列为二十二种，占百分之二十五点六〇（欲知其此处请参考拙著《新货币学》)。

中国经济研究所的物价指数较之中央银行指数为高，三十六年九月相差三分之一，中经所为六万倍，央行为四万倍。这证明民间学术机构较之官方编制指数，要更客观而正确。

兹录中国经济研究所胜利以后物价指数如下：

上海批发物价指数简单几何平均（民二十五年为1）

年 月	指 数
三十四年九月	346.7
十月	584.7
十一月	1,931
十二月	1,750
三十五年一月	1,809
二月	2,995
三月	4,307
四月	4,098
五月	4,373
六月	4,628
七月	4,899
八月	5,010
九月	5,865
十月	7,036
十一月	7,359
十二月	7,958
三十六年一月	10,362
二月	17,658
三月	18,361
四月	22,161
五月	32,702
六月	37,167
七月	46,557
八月	48,924
九月	60,519

四　生活费指数

生活费指数的意义

生活费指数，本来也是物价指数的一种，与零售、趸售物价指数连系的，由趸售指数，到零售指数，再到生活费指数。生活费指数一样显示得出来物价上涨的程度。

抗战胜利以后，上海职工运动的胜利之一，便是按生活费指数发给薪水，这便是职工躲避通货膨胀的损失的方法。

上海编制工人生活费指数很早，约在民十八年，上海社会局在蔡正雅氏的主持下开始。真正用来计算工资，则从胜利后始。

生活费指数的理论，是采取某一时期的实际生活为基准，研究它所需的费用，假定为一百，然后再按每一时期物价水平，计算需要多少生活费。

上海市颁布的生活费指数有三种：一是西侨生活费指数，一是职员生活费指数（包括工商界行政机关职员教职员），一是工人生活费指数。职员平均家庭人口是七点〇六人，工人平均人口是五点〇四人，平均消费单位，职员为五点五二人，工人为四点四三人。职员消费物品为九十六种，工人消费物品为六十种。

生活所需物品分类比较表

类　别	职　员	工　人
食物	47.34	65.70
房屋	15.29	17.74
衣着	12.47	4.87
杂项	24.63	11.69
总计	100.00[1]	100.00

社会局决定工人生活指数的基数采用了三百零五家的帐目，每家约三口至六口，月收二十元至六十元，记帐时期自十八年四月至十九年三月，采用物品计食物三十一种，衣着十一种，房租三种，燃料八种，杂项七种，共六十种。然后再加权平均，即求得各种物品应得之比重，以增减其对指数的影响，即得各种物品之消费数量，亦即权数。

平时工作则为调查物价。工人生活指数编制每星期派员至工人区域，以求一个月之平均价。计算时公式为

[1] 原书如此，未作改动。——编者注

某一时期内销售量为权数之加权总合式，用记帐结果为固定权数，计算生活指数：

$$\frac{M\ Pl\ Qo}{M\ Pc\ Qo}$$

Qo 代表家计调查每种物品之消费量，作为固定权量，Pc 及 Pl 代表基期及计算期各种物价通常计算。

上海历年指数

价格的基期，最初以民十五年全年为基期，后来改以廿五年全年为基期。

上海历年生活费指数

（加权综合法 · 上海社会局制 · 民廿五年为 100 · 自卅六年一月改为 1）

时　期	指　数		每元购买力（合每分）	
	工人	西侨 · 职员	工人	西侨 · 职员
廿六年	119.1		84.0	
廿七年	150.6		66.4	
廿八年	197.5		50.6	
廿九年	428.4	278.3	23.4	35.93
卅　年	826.2	308.1	12.1	19.68
卅一年	1,993.6	1,263.7	5.02	7.91
卅二年	7,225.7	3,934.4	1.38	2.54
卅三年	47,750.5	31,367.6	0.21	0.32
卅四年九月	29,923.6	21,231.5	0.33	0.47

续表

卅五年一月	126,990.0	135,735.7	0.09	0.07
二月	206,680.5	182,184.2	0.09	0.07
三月	275,422.2	270,052.3	0.036	0.03
四月	269,430.4	273,533.1	0.04	0.04
五月	409,578.7	289,115.5	0.02	0.04
六月	404,065.4	330,123.6	0.02	0.03
七月	449,420.3	373,788.1	0.02	0.03
八月	453,674.6	390,088.0	0.02	0.03
九月	496,74 0.0	417,748.0	0.02	0.24
十月	521,855.7	451,231.9	0.02	0.24
十一月	568,464.2	500,061.9	0.02	0.02
十二月	648,032.9	528,292.8	0.02	0.02
卅六年一月	7,946	6,704	0.013	0.015
二月	冻结	冻结		
三月	冻结	冻结		
四月	冻结	冻结		
五月	23,500	16,375		
六月	25,300	19,700		
七月	28,700	23,700		
八月	31,000	26,700		
九月	34,400			

指数的估低

无可否认，这个工人生活费指数及西侨职员生活费指数在抗战期间是相当正确的。因此工人的薪工便要求按战前底薪若干元乘生活费指数，得出应付的工资。后来，上海的工业家，感到了薪水加高的重负，又面临着外货的倾销，便要求上海市政府平抑工资，企图以低廉的劳动，挖肉补疮，来与外货竞争。上海市政府便指示主持生活费指数的人，留心调整指数。蔡正雅氏因此去职，这生活费指数也就失去了可靠性了。

例如卅五年九月份外汇调整以后，物价飞涨，生活费指数应该增涨，但事实不然：

月 份	中央银行趸售物价指数	上海市府生活费指数	生活指数较物价指数
八月份	428,500	453,674	增加了 5.9%
九月份	509,156	496,739	减少了 2.6%

批售指数之下，零售指数应该很高，生活费指数尤高，八月份便是如此。九月份却倒过来了。中央银行物价指数本来即有低估物价上涨的倾向，生活指数的增加竟比这少，更是荒谬绝伦。因此，围绕着生活指数，上海的舆论界和职工发动了诉诸统计学者良心的斗争。

通货膨胀不停止，生活费指数的斗争，只是目前的改良的斗争，并不能真正避免通货膨胀的剥削。即令是编制得很正确，每月的薪资，月底发出来以后，决不够次月的用度，永远在亏空借债之中，并不能避免通货膨胀日益剥削生活费用的作用，何况生活费指数掌握在政府机关手里，随时可以运用自如呢？

生活指数宣布冻结

卅六年二月十六日政府颁布了经济紧急措施方案，规定了生活费指数要冻结，以一月份生活指数的最高数，而且不得增加底薪。按照这办法，公教人员的薪津本来每三月调整一次的，也冻结了。冻结以后，当局再举办日用品配给制度，食粮布匹燃料，统由政府配给。

配给制度的办理是否真能安定公教人员生活？

单说上海市政府本身的职员，生活必需品的配给价，便不断上涨。例如糖一月份售七千元一斤，二月份便售一万一千元，西贡米已售七万元，与黑价一般。物资供应局的货物，也跟着涨价。同时后方办配给的腐败情形一一重见于今日，煤球一半以上是泥土，煤屑不及一半，米油盐多秤少发。

公教人员的呼声是：三月调整一次薪给！

社会局的盘算，上海工人有二十一万五千六百五十人，若实行配给，要米十七万二千五百二十石，油一万零七百八十二担，煤一万二千一百七十三吨，盐一万零七百八十二担，布一百零七万八千二百五十市尺，糖二千一百五十六担。这绝对不是社会局力能胜任的。

于是社会局采用了一种工人配实物差额折合制，实际上仍是生活指数，把生活指数减低。编制生活指数，是采用六十种日常用品，现在则仅采用米、布、煤、油、糖、盐等六种，按其一月份价与二月份价之间的差额，发给差额补贴。实际上其余五十四种日用品价仍然上涨，这便不能不吃亏了。

按照那个算法，二月份的差额补贴费为七万三千元。其算式如下：

	一月份平均价格	二月份平均价格	差额
米（每担）	66,800 元	110,500 元	43,700 元
油（每斤）	1,589 元	2,700 元	1,111 元
盐（每斤）	423 元	623 元	200 元
糖（每斤）	1,770 元	2,900 元	1,200 元
煤球（每担）	15,000 元	28,000 元	13,000 元
布（每尺）	1,350 元	3,500 元	2,150 元

米每人八斗计三万四千九百六十元，油每人五斤五千五百五十五元，盐每人五斤计一千元，糖每人一斤二百元，煤球每人一担半计一万九千五百元，布每人五尺计一千零

七十五元，以上六种差额共为七万二千九百六十五元。

但各工会仍旧要求解冻生活指数。官方有关的总工会一方面表示接受差额津贴，一方面仍要求三月调整生活费指数一次。

当局的本意在于以生活费指数冻结，换取民营工业不准涨价的诺言，国营事业却可以涨价。但是民营工业家对于工资的威胁，并不感到严重，同时知道如果工业品价格不准上涨，纵然工资不增加，原料涨了，仍然一样蚀本。可见得当局这个政策是两边不讨好的。

经济紧急措施的本意在于一切物价、工价的停止上涨。实际上，通货继续膨胀，物价的稳定是不可能的。然而生活指数却真被冻结了，而且差额补助费，二月份是七万三，三月份还是七万三，职工生活这样被冻结在贫困之中。

生活指数解冻以来

卅六年五月因为学潮澎湃，当局绥靖工人，允予解冻生活指数，而且为了使工人满足，指数特高，较冻结前提高了一倍。

解冻以后的生活指数，渐渐成为政治的气候表。工潮来临时提高，低潮时较低。卅六年九月生活指数发表为三万四千四百倍，其时物价指数如下：

月　　份	中经所物价指数	央行物价指数	上海市政府公布生活费指数
卅六年八月	48,924	3,298,000	31,000
卅六年九月	60,519	4,325,300	34,400
上涨率	25%	30%	11%

卅六年九月因为外汇市价上扬，百物飞升，白米上涨尤巨。央行统计以农产品为主，故上涨率最巨，达百分之三十，中经所亦达百分之二十五，只有以食米为主的生活费指数，却仅涨百分之十一。

上海市政府在卅五年九月物价指数风潮时，应即公布生活费指数各项目的权数，及基期物价，因为一经公开，人人可以自行统计制作，就无神秘性，同时可见真实。但是上海市府不愿公布。以前公共事业未涨价，则说明公共事业占权数极大。洋货涨时，即说生活费指数侧重食米等农产品。此次白米涨价，则声称白米有配给，不能依市价估计。上海电车工人为生活费指数是否真实，卅六年十月曾爆发一次工潮。

公教人员按指数发薪

由于公教人员实薪日益减低，士气渐趋消沉。卅六年十月立法院曾拟议改采生活费指数发薪。其具体办法为：公教人员应以战前薪水三十元为基础，按生活指数分区计算，其超出部分，三百元以下照生活费指数十分之二支给，三百元以上照生活费指数十分之一计算。

其生活费指数，并非工商职员生活费指数，而为各级政府统计机构编制之公教人员生活费指数。九月份上海指数为四万六千倍，远超出职工指数，其原因在于文化教育费所占百分比甚大，而上涨最速。

但是此议如付实施，势须膨胀预算。公教人员对此甚感兴趣，是否能付实施，则颇待争取。

第三章　逼煞人的高利贷

通货膨胀，本来有三种方式：信用膨胀，纸币膨胀，汇兑膨胀。中国战时的纸币膨胀汇兑膨胀，大家已经很清楚了。惟有信用膨胀却呈现完全矛盾的现象，一是军费信用膨胀，一是生产信用紧缩。

什么叫信用和信用膨胀，前面已经谈过，信用膨胀，即是多借钱出去。可以发钞票的银行，不管准备金不够，拼命多发，好应付政府要钱，这便是信用膨胀，也便是通货膨胀。做存放款的银行，不按存款的比率多做放款，间接又增加了自己的存款，这种尽量多放款政策，便是信用膨胀。通货膨胀的情形下，信用应该更膨胀。在英美，一般信用制度好，大家喜用支票（占流通金额百分之九十，只有百分之十用现钞付），往往发十万元通货，便要创造出九十万元支票。这就是说通货膨胀一尺，信用膨胀一丈。

例如战前的中南银行，它有十万元的发行钞票权，它把十万元钞票贷放出去，那些接受贷款的工厂便把钞票存进来，它又将钞票贷放出去，这样循环放出去许多款子，平日只要开支票，中南银行储备一二万元的现钞，就够应付了。这便是资本主义的信用制度。

战前二十五年发行钞票总额不及八亿元，但存款便有三十四亿八千二十九万元。这便是创造信用的作用，存款为纸钞的百分之四百三十五。

一　信用政策的三阶段

中国的战时信用，我们将对政府垫支军费的赊借除开，是紧缩的。在抗战后期，甚至公开执行信用紧缩政策了。其间经过了三个阶段：一是战争开始金融恐慌信用紧缩时期，一是战争初期信用膨胀时期，一是战争后期信用紧缩时期。

战争开始时的金融恐慌

“八一三”战争爆发，全国的银行都面对着挤提存款的风潮，那时候谁都想把钱提出来存在身边，或运出口岸，换取外汇。二十六年八月，上海运出的法币便有八万万元，占发行额十四亿之半。二十五年银行存款三十四亿元，活期存款估计约十九亿元，一旦挤提是很危险的。当时公布不准提存百分之五以上。同时各银行便厉行信用紧缩了，不敢再放款。中中交农为了救济金融恐慌，二十六年底为止，贴放了二万万元。

当时国家行局的发行正在剧烈增长当中，但是由于战争的压力，银行信用始终在收缩，这种情形，直至二十八年底，依然如此。

抗战初期存款统计（单位百万元）

年　份	国家银行存款	省银行存款	商业银行存款
二十六年六月底	2,462	167	1,040
二十七年十二月底	2,715	184	935
二十七年六月底	3,425	195	903
二十七年十二月底	4,203	234	932
二十八年六月底	5,274	272	999
二十八年十二月底	6,333	359	1,074

国家行局存款的增多，是因为钞票发给政府机关用，各机关又把这存入行局。省银行增加甚微，商业银行更形减少。

扶持生产事业信用扩张

政府的财经政策，在初期因为国内团结的影响，比较照顾工商业利益，在舆论界倡议的一面抗战一面建国的压力下，开始信用膨胀政策，作生产事业贷放。二十六年公布了中中交农联合贴放办法，二十六年公布合作贷放办法，二十八年办理合作金库，二十九年四联总处公布三年经济建设计划，要大规模举办生产事业。

物价上涨信用收缩

三十年九月间，因为物价飞涨，大家责备囤积居奇，便归咎于信用过于容易获得，随便可以借到钱，是助长囤积居奇的原因。于是要求信用紧缩，舆论界有一部分人，大做其“紧缩论”，要求把抗战无关的事业尽量紧缩，尤其主张紧缩信用放款，其提议为：收缩钞券，收缩信用，根本则为收缩事业。

自此以后，国家行局便开始执行信用紧缩政策。尤其每逢年节，国家总动员会议便以紧缩信用，造成银根紧急，来打击物价上涨。这种政策，平抑物价的功效如何，是大家都已看见的了。但其副作用，造成银根紧和高利贷，则又成为生产颓敝，工商崩溃的原因。

二　战争逼迫下的信用紧缩

通货在胀膨信用反紧缩

抗战期间，信用紧缩，这是一般的趋势。原来支票与现钞可以是九比一，战时则可能只有三比一，或二比一。据财政部杨寿标氏统计，其趋势大体是法币发行额增长最速，连同各省银行所发钞票，称为货币流通总额，其趋势显出发行通货之膨胀。若将银行的信用即存款（叫存款通货），信用支票，都算作信用通货，连同发行总额估计，统称为通货数量或信用，则显见其指数远落后于发行指数。以下一个统计，其中通货数量是将中中交农四行的活期存款加上货币流通总额（包括法币、省钞）。（商业银行本应计算在内，但统计甚缺，其数亦小。）

通货数量指数表（二十六年六月 =100）

年　月	货币流通总额指数	四行活存指数	通货数量指数
二十六年六月	100	100	100
十二月	113	140	124
二十七年六月	118	171	139
十二月	150	291	178

续表

二十八年六月	194	256	219
十二月	265	299	279
二十九年六月	360	336	350
十二月	459	417	442
三十年六月	613	423	537
十二月	848	558	732
三十一年六月	1,367	779	1,312
十二月	1,854	1,233	1,605
三十二年六月	2,674	1,553	2,226
十二月	4,022	1,975	3,203
三十三年六月	6,518	3,199	5,196
十二月	10,053	6,034	8,445
三十四年六月	20,081	7,428	15,616

通货发行，如果是发行出来，有储蓄制度，即储款的扩张，便可以把通货蕴蓄起来，犹如蓄水池。以这信用，来培养工商业。所以通货膨胀与储蓄运动配合，不是坏事，不是扩大通货膨胀，而是减少通货膨胀。如果通货膨胀，没有很好的信用制度，吸收许多通货到银行来，则政府每需要一个钱，便得发一张钞票，并没有可以挪用的现钞，这便加强了通货膨胀。

存款减少银行变质

中国战时通货膨胀之下，信用通货并未显著膨胀，这是什么缘故？这是通货恶性膨胀时期不可避免的现象。英美战时和缓的通货膨胀，其通货多膨胀成为存款，又储蓄在银行里。在中国，抗战初期，通货膨胀缓慢的时期，四行活存确随法币发行而增长，自民廿六年至廿八年均如此。但自从民廿九年通货膨胀转剧，物价猛涨以后，形势便改变了，因为通货贬值过剧，法币贬值太快，存入银行陡然损值。于是纷纷提出，由钱变货。同时因为人人不愿存钞票，到手就用出，便形成了货币流通速率的加速，相形之下，愈显货币之膨胀，贬值愈甚。

不仅四行的存款减少，即如商业银行的存款也减少。例如聚兴诚银行卅二年度的存款，不过是廿六年的十四点四倍，四川省行卅二年存款为廿八年底四点四倍。这有几个原因：第一，中国的法币发行完全是军费为主，军费消耗的对象，多在乡村，并不在都市。外国军费大部都成为工厂定货，通货回归到工商业，又回于银行。中国的军费多半消耗在吃用，消耗在乡村。法币发行不能创造工商业景气，也不会增加都市金融信用。第二，过剧的恶性通货膨胀，是破坏信用制度的。

战前初具规模的发钞、支票制度，战争以来大被破坏。中央银行发的便是不要准备金的纸票，同时各银行支票退票的事也层出不穷。这一切使都市乡村，都倾向于黄金美钞货物，谁也不愿意存款储蓄。第三，信用制度本来是合中小阶层的储蓄和工商业的休闲资金而成，但是战时由于人民的赤贫，已没有什么积蓄了，工商业也被通货膨胀清算了，实力大损，自己应付开支都不易，遑论存款以待。

战时中国的银行业可说是变质了。国家银行依赖经管公库以获取存款，再挟雄厚资力，经营独占性的贸易，如农民、中信，或接济官僚资本，成为一家的帐房，如中国，或则经营国库存汇，以取得手续费，如中央，邮汇。商业银行，则以黑市高利取得存款，经营黄金美钞投机，或从事囤积居奇，或直接经营企业，以获取利息以外的利润。

战时储蓄的减少

战时储蓄存款增加数，较诸活存更为稀少，四行储存，自廿六年至卅四年，只增加了三百二十二倍，其中尚有一部分为外币暨黄金储蓄。由此可见战时信用萎缩之一斑：

国家行局储蓄存款数及指数（单位千元）

时　期	总计		其中黄金外币储蓄所占数额
	数　额	指　数	
二十六年	188,488	100	
二十七年	251,583	133	
二十八年	311,637	165	
二十九年	533,059	283	5,023
三十年	1,104,425	586	5,846
三十一年	2,976,142	1,579	446,165
三十二年	7,386,574	3,919	1,909,678
三十三年	15,354,745	8,146	4,042,027
三十四年	73,445,810	29,547	9,955,550
三十五年	362,015,817	192,063	178,696,412
三十六年（三月）	402,282,259	213,426	155,972,612

定期存款与储蓄存款一样，能够吸收游资，减少通货流通，使资金蕴蓄。可是战争以来定期存款，日趋减少，而活存大为增加。活存的流转迅速，无疑的增加了通货的流速，助长通货膨胀的声势。

抗战开始时，活存对定存为一点三对一，三十五年一月为十八对一，三十六年六月为九对一。

这使银钱业极难运用活存从事投资，同时活存又使通货膨胀中通货流通速率加快。

战后信用趋向

抗战胜利以后，又进入新的内战通货膨胀时期，根本的轨道并没有改变，只有加强而已。只在胜利初期，因为和平的幻象；有人把货变成钱，一时显得银行业可能转趋正轨，但这幻想不久便打破了。膨胀的通货并未能循乎正常的信用制度回到银行来。

三十五年上期全国银行存款额（单位千元）

时期	四行存款余额	省市县及商业行庄存款	总计
三十五年一月	785,070,409	75,503,362	860,573,770
二月	880,350,603	82,291,070	962,641,673
三月	938,952,254	111,970,154	1,050,922,408
四月	1,474,438,284	181,601,199	1,656,039,483
五月	1,545,005,507	197,097,386	1,742,102,893
六月	3,017,326,090	230,589,852	3,247,915,942
七月	3,898,983,033	306,495,488	4,205,478,521
八月	3,726,728,425	328,218,093	4,054,946,518
九月	4,233,876,111	389,673,168	4,613,549,279
十月	3,265,457,005	420,627,599	3,686,084,604
十一月	4,581,333,758	496,842,422	5,078,176,180
十二月	5,176,536,867	497,062,876	5,673,599,743
三十六年一月	5,192,474,618	613,886,491	5,806,361,109
二月	5,055,984,148	754,092,690	5,810,076,838
三月	5,307,120,340	1,626,429,910	6,933,550,250
四月		1,495,102,080	
五月		1,402,254,140	
六月		1,429,008,047	

三十五年六月存款总额约三万二千四百亿，同期通货膨胀数约二万二千亿，显然是稍多的。但比较二十五年以前的多出四倍又三点五，便不可同日而语了。三十五年六月，正好是物价比较平稳的时期，许多游资都流向银行来。同时出售黄金外汇敌伪物资滞留银行，也是增加存款的原因之一。

存款增加我们要分二方面来分析，从国家行局来说，这是官僚资本成长与集中的表现。中央银行规定为统一经管政府公库的国库，所有存款都由商业银行集中到中央银行来。政府接管了中纺、招商局等，官僚资本的声势比较大，再则因为出售黄金美汇和敌伪物资，也吸收了一部分款项。所以，自五月份的一万五千亿，猛跃至三万亿，这是不太正常的。这种存款加多是强迫的，而且又是财政性的。

从商业行庄方面看来，信用制度并未恢复。国家行局吸收的是机关存款，商业银行才是吸收民间资金的。但商业银行所吸收的只有二千三百亿，仅及四行存款的百分之七。二十五年各银行存款即有十八亿七千四百九十万元，三十五年六月不过增加了一百二十三倍。由此可见庞大的通货额并没有回转到银行里来，战前的信用制度仍然没有恢复。

三　火上加油的信用紧缩政策

因为中国信用制度受到破坏，中国的通货膨胀并不能培养一个很好的信用膨胀，由于纸币流出来，便不回到银行来，便造成了信用枯竭的现象。由于存款少，放款便不能不减少，这便造成了放款减少的信用紧缩的现象，这终于萎缩了国民经济。

中国自抗战开始以后，只有抗战初期，曾经有过信用膨胀，那时政府为了后方物资缺乏，发放低利贷款，鼓励民营工矿事业，一度造成廿九年前后的工商业战时景气，一方是物价高涨，生意好做，一方是充分就业，稍现繁荣。那时候的信用贷款，还是以少量的通货膨胀，发钞票，来放贷款的，但是其数目极其微小。

四联总处的贴放

民卅年以后，在通货紧缩的口号下，军费的通货膨胀无法停止，只有停止生产事业的信用放款。自此以后，国家行局便不再大量的贷放于民营事业，四联总处核做的贴放，也多半是放给国营事业或官僚资本。民营工商业从此便不能不转向于商业银行，渴求高利贷了。

抗战以来四联贴放数额（单位千元）

时期	新放款	展期款	总计
廿六年至廿八年	532,396		532,396
廿九年	696,454		696,454
卅年	1,545,433		1,545,433
卅一年	2,612,879	664,974	2,677,853
卅二年	9,506,619	1,588,925	11,095,544
卅三年	28,998,818	4,025,729	33,024,547
卅四年	63,115,122	12,553,184	75,668,306
卅五年	695,917,888	42,953,757	738,871,645
卅六年一至六月	1,748,806,865	112,925,800	1,859,828,665

抗战以来农贷结余额（单位千元）

时期	总额
廿六年	34,715
廿七年	66,866
廿八年	113,966
廿九年	211,408
卅年	465,306
卅一年	684,570
卅二年	1,591,479
卅三年	2,880,361
卅四年	4,923,755
卅五年	311,175,175,191
卅六年六月	514,298,646,983

农贷是最有名无实的贷款，其中有许多是贷给各省政府筑堤坝，有的贷给省农业改进所，有的贷给合作金库，都是贷给官方的机构，并没有贷给真正的农民。农民需要钱用，仍然乞求于高利贷。

国家行局哺养官家资本

工商业在抗战初期，获得的贷款是可观的，例如廿六至廿八年的五万万元，廿九年的六亿元，对于后方工矿业的重建确有帮助。但在抗战后期，政府当局忽然由信用膨胀转向信用紧缩，这时候起，后方的工矿业便不能依靠四联贷款了。四联其后所发的工贷，其中贷给花纱布局、盐务局、粮食部、资委会、各国营工厂，国营公司的为最多，至少占百分之六十以上。国家行局成为官家资本的专任奶娘，不再哺养民族工业这羸弱的孤儿了。

四　高利率的形成

通货膨胀与信用紧缩的结果是造成了高利贷。在通货膨胀，物价高涨的情形下，利率本来有升高的趋势。假定物价每半年涨上一倍，则货币半年之后贬值一倍，非要放息到一角五分左右，使半年之后货币加倍，才能保值。物价上涨愈速，利率上涨亦速。世界各国凡在通货膨胀的国家，没有不是利率高涨的。

在中国，利率的高涨，另一个原因便是当局的信用紧缩政策。

民营金融业衰退

当局的通货膨胀政策，清算了江浙银团，四川银团，也清算了所有的金融界的力量。战前江浙十二家大银行发行钞票约在二亿五千万，各行庄共拥有存款十八亿，国家行局钞票约四亿五千万，存款二十六亿。这力量是不太悬殊的。但抗战后剥削了商业银行的发钞权，便剥夺了银行的创造信用的大能力。发行权先则集中四行，后来则集中到中央银行。各商业银行所执有的只是中央银行的法币。随着通货膨胀，各银行的实际财富日日削弱。同时战争信用膨胀所引起的庞大的军费政费存款，又不准存入商业银行，统由中央银行经管。既剥夺了创造信用第一方式的发钞权，又剥夺了创造信用的依赖——存款，商业银行的实际力量便日益削弱，不论江浙财团四川财团在抗战过程中，都被削弱了，喘息于数个权贵的淫威之下。商业银行所能吸收的民间存款，又因为国民财富被通货膨胀清算，中小资产阶级的没落而减少。这便使民间金融业的力量不断削弱。上海各行庄卅五年七月底的存款只有一千四百亿，如以当时货币贬值五千倍计算，只抵战前三千万元，这便是说其实力被削弱到了百分之二。

国家行局的自肥

政府行局在抗战以来，却无限制地扩充。中央银行掌握了发钞权，又掌握了国库经管权，通货从发行到保管，都在它手里。四行两局先则分润发钞权和国库经管，后来中国银行专业外汇和实业，农民银行专业农产运销；中信做生意，邮汇做邮政汇兑，都有独占性的易于营利的业务，而且赖有中央银行无限制供给钞票。这一切使国家行局肥了起来。同时政府当局还有一种自私的政策，钱是我发的，发得够多了，但我设法使它直接往军队里流，往机关里流，流往不见痕迹的乡村，使都市里不见得有多的钱。这样，通货是膨胀了，但是钱并不显得多。万一钱又往都市流，便用二种方式把它吸住，一种是存款准备金制度，一种是黄金政策及抛售物资政策。存款准备金的规定，活期要交百分之二十，定期交百分之十五，这便冻结了金融市场百分之十五至二十的资金。另一种黄金政策，也以吸收游资为目的，这些游资大都是银行里的，一声黄金涨价，各行庄的存款都被吸收出来，造成行庄的金融风潮。这一切，目的在于使得官家有钱，民间无钱，使得通货膨胀之下，市面上仍然感到钱不够用，钱并不多，使得物价涨不起来，政府可以维持它庞大的购买力。

全国行庄存款枯竭

廿五年上期全国各行庄的存款，略如下表，其所缴纳的存款准备金亦列入表中：

全国银行存款总计（单位千元）

时　期	存款（活定）合计	准备金额	比率（百分比）
卅五年一月	75,503,362	13,407,174	17.8
二月	82,219,071	15,145,790	18.4

续表

三月	3,970,154	22,189,363	19.8
四月	181,601,199	36,320,950	20.0
五月	197,097,386	39,388,886	20.0
六月	230,589,852	45,398,933	19.6
七月	306,495,488	59,799,580	19.5
八月	328,218,093	63,671,807	19.4
九月	389,673,168	66,821,543	16.9
十月	420,627,599	70,708,606	16.7
十一月	496,842,422	74,914,182	15.1
十二月	497,062,876	70,222,561	14.1
卅六年一月	613,886,491	88,827,719	14.5
二月	754,092,690	109,808,194	14.6
三月	1,626,429,910	163,316,478	14.5
四月	1,495,102,080	217,709,346	14.6
五月	1,402,254,140	189,500,361	14.2
六月	1,429,008,047	212,773,293	14.9

虽然商业银行存款很短绌，但是面临着工商界迫切的需求，利用存款做贷放，却已发挥到极大的限度。

卅五年上海金融机构存放款统计（单位千元）

类　别	存　款	放　款
华商银行	104,911,881	66,261,819
外商银行	15,742,216	1,845,484
钱　庄	24,447,700	21,078,811
信托公司	3,030,727	3,609,619
合　计	143,132,525	92,790,733

商业银行钱庄所有的头寸，本已不多，除去存款准备金百分之二十左右，必须留在行里应付提存的约百分之二十，可以运用的存款不过百分之六十，可是华商银行贷放已过存款的百分之六十，钱庄贷放已过存款百分之九十，信托公司过百分之百。金融危机，便根源于市场需钱太多，银钱业放款已过饱和。在商业行庄本身的范围以内，它的信用已经膨胀到极度，近乎爆裂了。

钱太少了利率便高

但是就整个工商业的需求而言，信用还远不足。因此利率的高涨，就惊人了。我们试举出上海、重庆、昆明、成都四地的利息，在抗战期间利率的上涨为例：

抗战期间利率上涨表（单位千元）

时期	上海钱业日拆息	重庆商业银行月息	成都商业银行月息	昆明银行月息
廿六年	0.12	10	13	10
廿七年	0.10	12	12	10
廿八年	0.15	13	12	17
廿九年	0.15	15	12	24
卅年	0.07	17	26	28
卅一年	0.62	28	36	34
卅二年	0.25	60	40	40

续表

卅三年	0.58	93	81
卅四年	0.65	112	110
卅五年（七月）	0.50	120	
卅六年	3.00	168	

上海重庆还是两个金融力量最为充沛的城市，内地若干地区，受内战和金融枯竭的影响，利率之高更其惊人。兹录卅六年十月廿五日全国各地利率表如下：其中同业日拆，以自流井为最高，每千元日拆五元五角，锦州等地为最低，放款日拆万县最高，每千元日拆七元，锦州最低，每千元日拆〇点八元。

地　区	类别暨利率	
	同业日拆（每千元）	放款日拆（每千元）
上海	4.00	6.00
南京	2.00	5.00
杭州	4.00	6.00
重庆	5.00	6.50
成都	4.70	6.50
贵阳	3.70	5.00
桂林	1.20	2.50
昆明	3.00	4.00
广州	2.50	3.50
西安	4.20	5.20
兰州	3.00	5.00

续表

汉口	3.50	5.50
天津	4.00	6.00
北平	3.00	5.00
青岛	3.00	4.50
厦门	1.50	3.00
南昌	2.50	4.00
沅陵	0.60	4.00
长沙	3.00	4.75
万县	4.50	7.10
自流井	5.50	4.00
韶关	4.20	5.00
柳州	1.50	3.00
福州	1.67	2.33
洛阳	2.00	3.00
开封	2.00	4.50
郑州	3.50	5.00
宝鸡	3.00	5.00
南郑	1.50	4.00
宜昌	2.50	4.00
梧州	1.00	3.00
扬州	3.50	5.00
济南	4.50	5.50
太原	3.00	4.00
温州	3.00	5.50
湘潭	2.50	4.25
合肥	2.00	4.00
三台	3.00	4.00
嘉定	3.00	4.00
康定	3.00	3.50

续表

雅安	3.00	4.00
哈密	——	1.50
天水	2.50	4.00
归绥	2.00	3.00
湛江	0.60	1.40
徐州	1.00	4.00
蚌埠	3.00	5.00
赣县	2.00	4.00
吉安	1.20	1.50
锦州	0.50	0.80
长春	0.50	2.50
九江	1.00	2.00
石家庄	4.00	6.00
西宁	0.50	1.60
沈阳	——	2.50

利率的高涨，完全因通货膨胀，物价飞涨而起。廿七、廿八、廿九年，通货膨胀不烈，物价平稳，利率也少增加，只在卅年起，利率才有显著的上涨。卅二年起，通货膨胀日剧，同时紧缩信用政策展开，利率的增长便更为迅速了。这种高利率政策，正是官方有意的杰作，据说高利率会强迫囤积居奇者抛出存货，知道囤积货物所赚的利润，还划不上所背的利息。

卅六年度月息，随物价上涨速度而定，例如涨风掀起之二月、四月、九、十月，其拆息有超过二角五分者，证券套息甚至高达三角以上。恒常则保持在二角左右。较卅五年平均利率一角五高。中央银行稽核处公布的利率，是由行庄报由当地中央银行核定，实际利率，远超乎此。

高利率政策，在物价猛烈上涨的时候，对于工商业确是不成为很大的负担的，高利贷不过拿走了战时暴利的一部分。但是物价的上涨是不平衡的，而且是曲折的，这时高利贷便会成为扼杀工商业的利器。

高利贷扼杀工商业

通货膨胀之下，物价上升是不平衡的，尤其是恶性通货膨胀之后，人民的购买力受损，物价便不能直线上涨。在抗战后期卅三、卅四年，便有战时经济危机阻挠物价上涨。抗战以后，物价上涨又遭遇了美货倾销这一新的因素，物价的上涨与否，就看有无美国货竞销了。当物价一旦停滞的时候，利率因为信用紧缩不会立刻下降，结果是高利率成本，低物价售价，会清算了许多工商业。例如卅五年三月至八月，上海物价上涨不过一成，而利率仍然是一角五，三月至八月本利要达百分之二百三十一，这便要清算了许多工商业了。

高利率政策固然是打击了囤积居奇，但最严重的却是增加了工商业的成本，反使物价高涨。而且到了一个时候，物价稍现安定，工商危机便要爆发。卅五年自夏至冬，这几个月间，倒闭了许多商号工厂，其第一个原因便是高利贷。这绝对是事实，许多厂家并不是没有赚钱，只是赚的钱不够付利息便倒号了。

高利贷是通货膨胀和物价飞涨的产物，但是高利贷回头过来，却又成为促进物价上涨的重要因素。这正是通货膨胀的旋形纠葛之一。

通货流速的增加

另一方面，我们要指出政府想使民间信用紧缩，以制止物价上涨，仍然是失败了的。民间利用少量的资金，加速的流转，以致通货实际流通量，更形膨大。我们知道实际所需的通货流通总量，是通货数量乘流速。例如三千钱，每月流转三次，则合九千钱的通货流通量。按照凯恩斯学说有效的通货量公式为：

有效通货量 =（通货发行 × 通货流速）+（活期存款 × 活存流速）

按中国通货——法币流通速度，是相当可观的，战前有人将银元存置家中，经年累月慢慢使用，现在是钱到即花，故其流速自然可想而知。活存的流速，据某机关抽查上海行庄三十家作了一个统计，活存的流速，卅六年一月为每月十九点七，二月为三十二点三，三月为三十六点一，四月为三十八。战前每月为二，已上升十九倍。美国一九二九年最景气时不过四点四，纽约为十点三，中国已远越过之。如按当月活存数量计算，其扩张之信用极可观：

上海活存信用量统计（亿为单位）

	活期存款数	扩大了的信用量
卅六年一月	2,855	56,244
二月	3,546	114,536
三月	5,682	204,120
四月	7,655	220,890

六月份存款为六千九百七十五亿，据吴承禧氏所述某机关统计，每月流速六十次计算，活存信用量为四十三万七千五百亿。

财政部为了削减通货流速，曾经于卅六年七月十七日通令当日票据不准抵现，一定要交换以后，才准开支票使用。这无异于要工商界户头上，多存一天钱，多担负一天货币贬值的损失，如此活存流速限制为每月三十次为最高额。但是工商界不会接受这损失，将造成阳奉阴违仍准抵现的情形。

这就是信用紧缩有时而穷的奥秘。

五　信用政策的真相

信用紧缩造成的高利贷，正在杀害工商业，这点当局不是不知道的。为什么当局仍然坚持信用紧缩，一面却敷衍其事的谈平抑利率呢？中央银行认真办点重贴现重抵押放一点拆款，利率不就可以下降了么？张嘉璈在卅六年三月侈谈扩大贴放，后来为什么不肯兑现？

这奥秘在于政府战前犹把自己置在于江浙财团和工商界的基础上，现在则凭借官僚资本的公私营事业和美国的经济援助（包括物资和借款）以自存。信用紧缩是对民营事业而言。中央银行和三行两局，他们的信用，第一是给军队和政府机构，第二是给官僚资本系统下的国营资本，第三是给官僚资本系统下的私营资本。例如中纺公司在卅四年冬成立时，四行便给它以一百亿的透支额。四联的贴放，其中十分之六七，是公营厂，十分之三为官僚资本投资的厂家。这种信用并不小，相反的，是信用扩张。例如卅六年初，过二个年关的时候，市面上银根紧迫，然而中央银行却以抛售黄金勒紧头寸，实施信用紧缩，同时却放贷出了五百余亿的生产贷款，其中约百分之七十以上流入官僚资本厂家。官僚资本有低利（约三分至五分）的支持，自然可以立于不败之地，进而威胁高利贷压迫下的民营资本了。

如果我们翻阅六行局的普通放款余额，就知道官僚资本创造了多大的信用。

六行局普通放款余额（单位千元）

时　期	放款余额
二十六年底	2,990,197
二十七年底	5,155,633
二十八年底	9,151,543
二十九年底	15,799,865
三十年底	26,586,655
三十一年底	49,064,811

续表

三十二年底	108,909,960
三十三年底	272,769,373
三十四年底	1,527,434,047
三十五年	7,992,803,038
三十六年三月	10,498,467,240

为什么四行两局有这样多的放款呢?

例如卅五年六月余额四万三千亿中，有一千五百亿是四联生产事业贴放，这即是放给官僚资本的。其余三万二千亿左右，便是直接放给国库的垫款了。也即是所谓国库赊借。

卅六年三月放款余额十万亿，其中四联生产事业贴放，只有二千六百三十亿，其余之数便是垫给国库的了。

通货膨胀政策，正是一面拼命扩充自己的战争消耗，一面喂肥自己的官僚资本。信用紧缩政策，正是紧缩民间的信用，让民间工商业自生自灭。这便是目前信用政策的真相。

第四章　调整不已的外汇

通货膨胀中的纸币膨胀，势必要引起汇兑膨胀，即汇兑贬值。中国本是外汇本位的国家，法币不能兑现金银，只能买成外汇，故外汇才是最主要的准备金。如果发行的纸币过多，没有那么多的外汇基金以供无限制的买卖外汇，则势必要尽量少卖，或者是提高汇价，或者是审核外汇，以致造成黑市高涨。这种情形下，或者是自动的，或者是被迫的，进入汇兑膨胀。汇兑膨胀，即是以外国货币单位，可以换到更多的本国货币，即是汇兑贬值。这是通货贬值的又一种方式。由于汇兑贬值，物价高涨，又转而促进通货膨胀。这是一对活冤家，吵吵闹闹，相反相成，把物价不断往上抬。

一　汇兑贬值的形势

战前的稳定时期

中国的货币在银本位时代，还是比较值钱的，其后因为金贵银贱便不断的跌，到廿三、四年因为银贵又上涨。直到廿四年实施法币政策，才订定了英镑美元。

战前中国货币对外汇价表（每元合各国货币）

年　代	英国（每元合便士）	美国（每百元合美元数）	法国（每百元合法郎数）	德国（每百元合马克数）	日本（每百元合日元数）
民十五年	25.5780	50.3900	1,582.2080	204.1720	104.6100
民十六年	22.0300	44.6770	1,136.5270	——	93.9520
民十七年	22.6950	46.1370	1,170.3610	193.2960	98.9380
民十八年	20.5240	41.5080	1,060.8530	174.3370	89.5440
民十九年	14.7890	29.8500	762.3390	125.3310	59.6800
民廿年	12.0040	22.2430	565.3770	93.6880	42.2150
民廿一年	14.7660	21.4870	547.6000	90.5040	76.0810
民廿二年	14.8243	26.1092	521.8170	86.1990	100.9090
民廿三年	16.0961	33.7850	514.2160[1]	85.3490	113.4080
民廿四年首三季	18.5597	37.8493	572.7000	93.1187	131.4583
民廿四年十二月	14.3750	29.5000	446.9167	72.6771	102.5104
民廿五年	14.5000	29.7499	451.8125	73.8125	103.0000

[1] 原书此处脱墨严重。——编者注

抗战开始时挤购外汇

抗战开始以后，中国的外汇便首先动摇了。因为中国外汇基金不足，同时资产阶级和官僚买办对于抗战又没有信心，于是挤购外汇。中间虽然政府为了讨好英美竭力维持外汇，以维护英美远东贸易，但是法币的对外汇价仍然狂泻。

上海是美汇黑市买卖集中的场所，自抗战开始至太平洋战争为止，上海的汇价始终在狂泻。

美汇及法币购买力指数（二十六年上半年为100）

年　月	对美汇价（每元合美金）	对外购买力
二十六年六月	0.29	100
二十六年十二月	0.29	100
二十七年六月	0.19	63
十二月	0.16	53
二十八年六月	0.13	44
十二月	0.07	24
二十九年六月	0.06	20
十二月	0.06	20
三十年六月	0.05	18
十二月	0.05	18

法币增发汇价愈跌

法币的发行，与汇价的跌落是成正比例的。法币发行得愈多，外汇价值跌落愈甚。我们把战时前后方黑市汇价和法币发行比较，可以窥见法币对外购买力之激降。

法币增发影响对美购买力（民二十六年六月为 100）

年　　月	法币发行指数	中美购买力平价（每元合美金）
二十六年六月	100	0.3035
十二月	117	0.2907
二十七年六月	123	0.2127
十二月	164	0.1635
二十八年六月	213	0.0866
十二月	305	0.0783
二十九年六月	431	0.0444
十二月	560	0.0216
三十年六月	763	0.0192
十二月	1,076	0.0117
三十一年六月	1,773	0.0015
十二月	2,442	0.0008
三十二年六月	3,544	0.0005
十二月	5,357	0.0003
三十三年六月	8,725	0.0002
十二月	13,464	0.0001
三十四年六月		

法币购买力，一是对内的购买力，即由物价升涨以测度，一是对外购买力，即由对外汇价以测度。法币的对内对外购买力的跌落中，对外购买力跌落尤甚。

法币价值指数表（二十六年六月为 100）

年　　月	对内价值指数	对外价值指数
二十六年六月	101.21	100.00
十二月	101.71	95.78
二十七年六月	78.00	70.08
十二月	60.97	53.87
二十八年六月	47.77	28.53
十二月	28.13	25.97
二十九年六月	16.76	14.62
十二月	7.83	7.11
三十年六月	6.42	6.32
十二月	3.65	3.85
三十一年六月	2.06	0.49
十二月	1.28	0.24
三十二年六月	0.76	0.15
十二月	0.47	0.09
三十三年六月	0.23	0.046
十二月	0.17	0.032
三十四年六月	0.04	

二　统制外汇的斗争

几种力量的斗争

中国战时外汇价格的管制，显然表现了几种力量的斗争。第一是英美商人和英美政府，他们为了维持远东贸易，极力主张中国维持外汇，因此有二次平准基金会的成立。他们是赞成中国维持一个稳定的汇率，方便进行贸易的。政府一向依赖英美，因此对于汇价的维持，不敢稍有失职，同时社会上也流行一种主张，认为维持汇价为安定物价和维持法币价值的方法。三十年以前，这种力量支持着外汇政策。第二是贪官污吏和数大豪门和大资本家，他们力主维持外汇，为了方便他们逃避资金，因为对抗战没有信心，害怕法币贬值，他们从抗战开始，便大量购买外汇，三十年以前是买外汇，三十年以后是买美钞，美金公债。外汇之狂泻，超于物价上涨，便是这般人的功绩。第三是敌人和汉奸，为了套取外汇，在上海他们曾企图收集法币，购取外汇。

外汇管制的几个阶段

这三种力量，造成了中国抗战中外汇管制的复杂的形势。这种斗争，可以分几个阶段。

民廿四年法币政策以后，中国对美汇率为法币百元合美金二十九元五角至三十元，并无限制卖外汇。抗战爆发，“七七”至“八一三”，一个多月，外汇便有惊人的逃避，共售出七百五十余万镑，合法币一亿二千万元。当局如果决心长期抗战，应当把外汇停售，提作购买军火之用，但是当局一则为了顾全英美贸易，再则为了维持颜面，三则为了若干豪门逃避资金，竟迟迟不加管制，仍然无限制出售外汇。仅仅颁布了限制银行提取存款办法。这期间逃避的外汇，数目相当可观。这是外汇无管制时期。

二十七年三月十四日，政府公布“外汇请核办法”，正式管制外汇，以防止敌人搜兑法币换取外汇。从此便有黑市外汇的买卖。三月下旬外汇跌至法币一元换十一便士八七五，美汇缩至每百元值美金二十五元八七五。五月中旬为十便士六二五，二十一美元又九三七五。八月英汇七便士九三七五，美汇十六美元又一二五。

政府当时为了维持面子，曾由中中交汇丰出售黑市外汇，稳定黑市价于八便士至八便士半之间。这一直维持到二十八年三月。

二十八年一月成立中英外汇平准基金，仍按八便士二五汇率维持黑市。六月跌至六便士半。七月初政府在官价之外，规定了商汇挂牌价格，国币一元合英金七便士，百元合美金十三元又八分之五。但七月中，便开始猛跌，至八月中旬英汇跌至三便士，美汇跌至六元半。

二十九年初美汇即继续跌，五月间英汇缩至三便士一二五，美汇缩至四元五角。七月间，中央、中国、交通、汇丰成立乙种平准基金，外汇又稍回涨。八月一日起，商汇牌价改为英金四便士半，美金七元五角，港币三元三角三分。黑市随之英汇缩至三便士，美金四元半至六元。

三十年一月十六日，美金黑市降至五元又四分之二，英镑为三便士又二分之一。四月中英美新平准基金成立，合成美金一万一千万元。七月二十六日因为美国封存中日资金，英金涨至二便士八一二五，美汇四元六八七五。八月十八日新平准会开始供给外汇，规定价格为美金五元又三十二分之十一，英金三便士又十六分之三。黑市汇率涨至英金二便士八九，美元四元六角至五元之间。

上海汇丰银行挂牌价格表

时　期	美汇		英汇		港汇	
	最高	最低	最高	最低	最高	最低
二十七年六月	21 1/4	16 13/16	10 5/16	81/8	73	56 5/8
十二月	15 5/8	15 5/8	8	8	53 1/4	53 1/4
二十八年六月	15 5/8	12 5/8	8	6 1/2	53 1/2	42 3/8
十二月	7 5/16	6 3/8	4 1/2	4 1/4	29 7/8	28 1/4

续表

二十九年六月	6	4 5/8	3 7/8	3 1/2	25 3/4	23 1/4
十二月	5 3/4	5 5/16	3 11/16	3 3/8	24 1/2	22 3/8
三十年六月	5 5/16	51/4	3 1/4	3 1/8	21 5/8	20 3/4
十二月	5 3/32	5 9/32	3 5/32	3 5/32	21	21

太平洋战争发生以后

太平洋战争发生以后，外汇的黑市因为对美英贸易的断绝，已经近乎停顿。但是美钞、美金公债、美金储蓄券，却与黄金一样成为投机的筹码。外汇官价仍然固定为国币百元合美金二十元。但以重庆为中心的黑市却已飞腾。其中尤以三十三年为最，兹录三十三年一年之间美钞黑价之上涨：

三十三年美钞上涨表（单位美元）

月别	美钞	美金公债	美金储蓄券
一月	84	70	82
二月	114[1]	122	142
三月	255	125	135
四月	235	120	131
五月	210	108	128
六月	200	106	140
七月	204	110	137
八月	208	113	138

[1] 原书此处脱墨严重。——编者注

续表

九月	255	115	165
十月	292	121	190
十一月	680	250	400
十二月	645	230	330

三十三年三十四年是中国战时经济危机爆发的年头，正因为工商凋弊，所以投机盛行，正因为通货膨胀，所以黄金美钞飞涨。三十四年五月美钞已升至七百五十余元，六月升至一千元，到胜利前夕的八月初，已经涨到三千元了。

胜利以后的逆转

胜利以后，由于平时经济的可能到来，通货膨胀可能结束，于是黄金美钞都反而下跌了。九月中旬曾跌至六百八。

胜利后波动期美钞价格表（单位美元）

时　期	美钞	时期	美钞
卅四年八月中旬	1800	十月底	1300
八月底	1400	十一月中	1700
九月中旬	680	十一月底	1400
九月底	1200		

胜利以后的卅四年八月到卅五年三月，外汇由一千八到二千五之间徘徊。由于胜利，美钞跌价了，由于内战，美钞又涨价了。

三　战后汇兑贬值的激化

卅五年春开放外汇

卅五年三月当局公布新汇率，开放战后贸易以后，中国的外汇膨胀，进入了新的阶段。

三月四日公布的开放外汇办法，规定了中美汇率为美金一元换二千零二十元国币，为战前汇率的六百倍，比当时物价水平三千倍，抑低过半，比当时的通货膨胀一千倍，也甚有距离。这是当局的低汇率政策时代。

这个汇率造成的结果是美货进口的空前巨大，和国货不能出口。因为出口商拿换回来的外汇，合不上物价高涨后的成本。入口商却因为汇率低，进口货物始终便宜于国货，可以大量倾销。卅五年上半年入超就在二万万美金，全年入超约在四万万美金以上。

当局采取这个低汇率是有用意的，当时为了对中共军事的速战速决，企图以美货倾销，造成低物价，稍定京沪物价飞涨的趋势。其次，当局是为了满足美商和豪门买办资本的利益，采取低汇率。

这个二千零二十汇率，维持得并不久。由于五万万美元的外汇基金的消耗，当局已经不能不实施外汇膨胀了。

外汇汇率的再贬值

卅五年八月十七日政府宣布汇率改为美金一元换国币三千三百五十，英汇一镑换国币一万三千一百五十。比较二千零二十，提高了百分之六十五，为战前汇率的一千倍，当时物价却为战前的五千倍。当局宣布这个汇率是完全为了方便出口，限制进口的。

实质上，这次汇率调整，正是汇兑膨胀，汇兑贬值。胜利以后，当局为了从事内战，通货膨胀推进甚速，由胜利之日到卅五年中期，通货膨胀加了三倍许。这种情况下，外汇非相应调整不可。同时，当局也已经感觉到外汇基金的枯竭，所以调整汇价之外，接着实施了输入配额制，设立输入管理委员会，严格管制输入。

这个汇率公布以后，物价便开始波动了。卅五年三月到八月是物价波动较缓的时期，八月十七日外汇调整以后，物价的上涨，便开始了新的阶段。八月底起，物价便日益升涨。最先上涨的是对外贸易有关的进出口商品，生丝、茶叶、桐油这些出口货，全涨了约五成。进口货价也跳起一成至六成。其次依赖外国原料的棉纱、橡胶，以至棉布，一律上涨五成以上。到九月底，全般物价上涨了五成光景，恰好与汇率调整倍数相近。只有农产品稍稳。

三千三百五十汇率公布的时候，国内有许多经济学家欢迎这种调整，认为六百倍汇价与五千倍物价，必须调整，才能保护国内工业，而且认为这不是贬低币值，不是通货膨胀，因为汇率是被高估了。

调整汇率促成物价上涨

实际上，在通货继续膨胀的时候，无论是多发纸币，无论是调整汇率，同样是通货膨胀，而且同样是造成物价高涨。一种通货对内对外购买力的分歧是很可能的，并没有调整的必要，每一次外汇调整后，物价高涨，汇价与物价仍然不能平衡，这便是明证。

目前的通货膨胀，正在螺旋形中进行，由纸币膨胀到物价高涨，由物价高涨到汇价调整，由汇价调整又进入物价高涨，回过来促进了纸币膨胀。

卅五年三月正是通货膨胀可望缓和的阶段，汇率二千零二十，国内物价本有稍稳的可能。但是由卅五年春到秋间，通货膨胀的潜流在发展，物价也缓缓中上升了，显得汇价太低。八月间调整了汇价，进出口物品按照成本计算，当然要上涨。同时中国胜利以来增长了的对外经济依赖性，工业的依赖外国原料，以致使工业品全部涨了价。农产品也要涨的，不过是慢些吧了。

不但如此，自从八月外汇调整以后，便进入了新的剧烈的通货膨胀物价高涨时期。二千零二十汇率犹如是水闸，当水闸一倒，汇兑膨胀与通货膨胀的大门便打开了。这涨风自八月直至卅六年初都还没有遏止。

由于三千三百五十汇率公布同时规定了外汇审核办法，又形成了外汇的黑市——美钞买卖。黑市美钞于九月底便涨上了四千元，到卅五年底，美钞跃出七千元的大关。三千三百五十的汇率，因为外汇基金枯竭（政府手头美金只有五千万美元了）实际上很少卖出来，成为不中用的稻草人。进货的商人，每逢自由轮带货进口，便搜购美钞以结价。黑市已取公开汇市而代之。

卅五年度美钞黑市价格表（单位美元）

一月	1,390	七月	2,550
二月	1,560	八月	2,510
三月	2,000	九月	3,250
四月	1,890	十月	4,010
五月	2,370	十一月	4,900
六月	2,335	十二月	7,600

由于外汇黑市的上涨，物价也在不断的上涨中。到了卅五年底物价上涨尤猛，约超过百分之二十。

旧历卅六年新春，五百元、二百五十元的关金发出来了，几天之内，就发出了五千亿元，这是通货膨胀质量大为提高的新开始。在这一个征兆出来后，物价又猛跃了，其中尤以农产品米粮上涨最剧，一般物价又开始猛跳，汇价也由七千向一万以上猛跃（卅六年二月初已达一万五千元）。

传说卅六年三月即将调整外汇，结果是二月初公布了变相调整汇率，出口津贴百分之百，即为八千七百，输入征附加税百分之五十，即为五千零二十五。这外汇

卅五年度中央银行国外汇兑行情表

月别		三月	四月	五月	六月	七月	八月	九月	十月	十一月	十二月
美　国	最高	2,020	2,020	2,020	2,020	2,020	3,350	3,350	3,350	3,350	3,350
每美元合国	最低	2,020	2,020	2,020	2,020	2,020	2,020	3,350	3,350	3,350	3,350
币元	平均	2,020	2,020	2,020	2,020	2,020	2,685	3,350	3,350	3,350	3,350
伦　敦	最高		7,600	7,500	9,300	9,200	13,500	13,700	15,200	15,500	21,800
每英镑合国	最低		6,800	6,800	6,950	8,650	8,850	11,000	13,400	14,100	15,350
币元	平均		7,200	7,150	8,125	8,925	11,175	11,800	14,469	14,708	18,504
香　港	最高	440	470	460	575	570	765	840	940	970	1,400
每港元合国	最低	430	385	420	430	525	550	685	825	870	965
币元	平均	435	427	440	503	548	658	730	891	952	1,110
印　度	最高	540	575	560	700	695	930	990	1,160	1,170	1,700
每卢比合国	最低	530	485	510	525	640	600	820	1,000	1,050	1,600
币元	平均	535	530	535	613	795	695	881	1,095	1,103	1,396
瑞　士	最高	570	580	620	720	700	900	1,200	1,200	1,200	1,400
每瑞法郎合	最低	480	490	570	620	680	690	870	1,100	1,180	1,200
国币元	平均	525	535	595	670	690	795	956	1,142	1,198	1,310

放长了，但是央行没有卖出。黑市立刻涨至一万五千元。

当局只有二种方策以应付通货膨胀下拦不住的汇兑膨胀：一是维持原汇价，但是不卖出外汇，死要面子，不顾实际；二是调整汇价，少量卖出。前一种情形下，美钞黑市将成为外汇主力，也一样表现出来膨胀的趋势。总之，通货膨胀下，汇兑膨胀便是必然的趋势。

二月间改订的汇率

卅六年二月十六日当局公布了新的汇率，即是美金一元换国币一万二千元。这个汇率提得很高，出乎中外人士意料之外。但是中央银行只有收没有卖，这价钱还不能成为市场上真实的汇价，黑市可能稍高。当局一面严格管制输入，意图节省外汇，一面发行美金公债一亿元，以图吸收外汇。但是目前的情形下，均不太有效。若无美国五亿美金贷款，中央银行外汇仍然枯竭，进口贸易必将因外汇无形冻结而停滞。

一万二千的汇率，首先是鼓动物价上涨，上海沿海工业都离不了外国原料——纱布、橡胶、五金电器、毛纺织、火柴、纸张、烟草，这一些民生必需品工业，因为外汇调整，原料涨价，成品也上涨，出口方面，因为茶、油、丝、鬃各出口品外国售价可望稍好，拼命涨价，实际上茶丝都有外货竞争，国外市况并不好，于是上海的市价与英美市价相差无几，运出去，反要赔贴运费了。

一般人推测一万二千汇率以后，当局仍然无法吸进外汇，平衡国际收支，势将驱使再度贬值，外国人心理有这样一个准备，认为下次要调整，则必然是五万元六万元换美金一元了。中央银行传出消息，则声称此后汇价每月可能提高百分之十，以刺激美金公债库券的投机。

外汇市价公布以后

自经济紧急措施方案以后，政府严禁美钞外汇黑市，一方面实施严格的输入管制。但是不久黑市复炽，卅六年四月到七月，美钞黑市上升到四万元左右。于是出口物急涨，按官价一万二千元结汇，成了绝对不利的事情，上海出口阻滞，香港大批走私出口。于是中央银行无法收进出口外汇。另一方面侨汇也因为汇率相差太巨，而趋于香港，再买成国币汇入内地。香港便成为中国的自由外汇市场，也即是黑市场。香港的汇价与金价领导了上海的外汇黑市与金价。

政府原来的呆定汇率，完全是为了安定汇价，以平定物价。实际上因为政府缺乏外汇，官价卖不出来，第一、二、三季限额批准以后，都未必能够结购外汇，反而挡住了外货输入，更谈不到以此平价。更严重的是外汇有出无进，影响了外汇资源枯竭，使政府要购买军火、军用品、米、棉，均无法付出外汇。

于是政府于八月十八日颁布了新的外汇管理办法，决定牺牲汇价物价以求取外汇。其办法为：汇率改采市价，随时调整，另成立外汇平衡基金委员会负责挂牌并管理，但保持一个官价尾巴一万二千元以示稳定。侨汇与出口外汇按市价，由指定银行购入，进口外汇由指定银行售出。

外汇市价挂牌，其用意在于随时提高，使汇兑贬值与物价上涨速度看齐，以免偏差，以致货物不能出口。但当局为了避免刺激物价益发上升，常常利用物价涨风稍定之时，再行提高。自八月十八日以来外汇贬值之速，犹如大江东下。

外汇市价变动表（均为基准价）

日期	美汇	英镑	港汇
卅六年八月十八日	39,000	124,800	7,800
八月廿一日	38,500	123,200	7,700
八月廿三日	同前	120,000	7,500
八月廿九日	同前	117,000	7,312.5
八月卅日	同前	115,000	7,187.5
九月三日	38,000	113,000	7,062.5
九月六日	40,000	118,000	7,375
九月九日	同前	120,000	7,500
九月十二日	40,500	122,000	7,625
九月十六日	同前	120,000	7,500
九月十八日	42,500	125,000	7,812.5
九月廿六日	46,000	135,000	
九月廿九日	49,500	146,000	
十月九日	55,300	163,000	

这种外汇调整，并没有办法追上黑市。黑市在八月十八日前后，不过四万至四万三四，相差约一成。但至卅六年十月底为止，约为九万五千元，比官价恒常高出百分之四十。

陈光甫外汇平衡基金委员会主任委员，曾直率说，黑市若高出市价一成，侨汇即将逃避，黑市高出市价二成以上，出口外汇也将逃避。因为黑市侨汇经香港转汇，可能多花一成的手续费，若黑市超出一成，则黑市仍然有利。出口外汇走私至香港多花运缴约二成，若黑市高出四成，则走私仍可多赚二成以上利润。因此在八月十八日后一个月外汇黑市稳定期，央行曾收进近二千万美金外汇，其后即成为新的官定市价，无法买入外汇了。

但是这种大胆实施汇兑膨胀的汇兑贬值政策，却大大的刺激了物价上涨，同纸币膨胀。例如政府收入二千万美金的外汇，便费了一万亿的法币，央行不惜费大量纸币以吸收外汇。同时汇价不断调整，便使物价上升益速。物价的上升，本来有间歇期，但是间歇期间来一次外汇调整，便使间歇下来的物价，又打起精神，向上再跑。这便是九月份十月份物价涨风延续两个月之久，不肯罢休的原因。七月份中国经济研究所的物价指数为四万六千倍，十月份第二周竟上揭至八万八千倍，上涨将及一倍。

卅六年八月十八日公布的外汇市价挂牌办法，是打开了汇兑贬值的大门，使市价与黑市公开赛跑，同时也打破了物价上涨的大门。当局决心牺牲物价汇价，以求取外汇，结果外汇跑了，物价与汇价却一飞上天，这便是汇兑膨胀的悲剧。

第五章　通货膨胀的剥削躲得了？躲不了？

一　通货膨胀怎样剥削人？

通货膨胀的剥削躲得了躲不了？在某种限度说，是躲得了，工人（甚至公务员）可以发动要求加工资的斗争，依照生活指数发薪水，使水涨船高，别让工资之船被物价之水淹没。中产者可以靠放利，囤货，投机，减少损失。但是回过头来，我们又要说明，在通货膨胀底下，除非大官僚资本，少数财阀外，绝大多数还是要贫穷化的。工人的薪水月底加了，绝不足下月之用，循环吃亏，结果是生活享受越来越低，最后到稀饭都吃不饱为止。中小产者即使辛苦经营，但是他的财产，还是要不断的贬低，小亏不吃大亏还是要吃，终于也是衣衫破敝，生活贫困。

这里我们讲几个通货膨胀底下吃亏的故事：

储蓄法币便是吃亏

战前有一个中学校，校董会募了一点基金，便把十万元存入银行，公议不拿来流用，以备将来派大用场。适逢“八一三”后国军退撤，这钱也不及取出，仍旧存在银行里。南京伪府的中央储备银行券一经发行，宣布二折一，这国币便成为伪币五万元。当时因为校董多在后方，无法取出。到抗战胜利这五万元伪币，又按二百折一，变作二百五十元。这种情形比较复杂，因为有中储券折合的情形。还有几个故事，那却纯粹是通货膨胀剥削人的例子了。

有一个拥有三千元法币的老农，在国军退走时，把一千五百元，去做杂货买卖，这买卖一直做到今天。另外一千五百元，全是一元十元的新票，他包扎得非常牢实的埋入地下，以备异日不时之需。抗战终于胜利了，法币初到京沪，他又舍不得用，因为那时还值钱。但是等到今天，法币已一钱不值，那一元十元的钞票更是没有那个会要了。

有一位小姐，在她幼年时候，痛爱她的爸爸，便为她存钱，准备每年存一百，十年成一千，这一千元，便成为她结婚的垫箱钱。存到第七年，已经有七百元国币，但是抗战爆发了。储蓄没有满期，不能取出，便只好放在那儿，胜利以后可以取了，但是那一千元，连买一碗面都买不到了。

上海卅五年便有几桩诉讼，一是有一个存户控告四行储蓄会，要求加几千倍还他战前的储蓄本钱，法院判了加千倍偿还，但是四行储蓄会储款有一万万元未偿还，不服，上诉了。银行求援财政部，财政部做贼心虚，也不服这判决，因为加千倍偿还的判例一经成立，财政部的公债也就要千倍还本了，如今一直拖延未决。卅六年四月嘉兴法院又判决了一桩战前债务，判定按万倍偿还。但是到现在为止，所有判决大部分都没有执行。

还有统一公债的一段公案，统一公债廿四年发行，国民政府自诩其债信最好。胜利后一般人都指望千倍偿还，结果仍然照一对一还本付息。

据马寅初氏说，广东银行还做了一件很缺德的事：

广东银行在战前广州及其附近，吸收了很多存款。抗战爆发，移至广西附近，这钱因宋家关系，大买外汇，饱赚其钱。存户的存款，拒不照付。抗战以后，广东银行倒愿照付了，可是广东人那会心愿，总有一天，要清算他们的。

公债与存款的得利者

由以上的故事，我们已深知财政部和银行资本都是通货膨胀中的得利者，贵时借，贱时还，当中的差额都是他们的净赚。正因此，战前资金多集中银行，信托银行的经营，能够替他赚几个钱，几厘的月息，就够养家。现在银行已成为剥削者了，谁也不愿意付托给他们，这就造成了所谓不存入银行的“游资”，这游资到处窜，那儿有利往那儿赶。各位别骂投机可恶，游资可恼，除了少数大官僚资本家是有银行的，大投机家外，其余的投机者，多是有百把万，有家累的小资产阶级，他们自己没有银行，不愿吃亏，那能不把小资游出来，到处游击讨生活？

这里，我们且来分析几种通货膨胀下的社会心理：

放比期，高利贷；做华股，套利钱；买黄金，做储蓄；买美钞，做投机；囤货物，待涨价。这几种现象都是被人深恶痛绝，指为投机囤积，俨然社会之蠹。然而，我却认为如果这些行为是小有产者保值的动机，则是神圣的，是倔强的求生意志。如果出之于大人先生的赚钱图利，则是鼓动物价，投机垄断的罪魁。

这里，我们先来论述“放比期，吃利息”的算盘。

二　吃比期与放利息

吃比期的由来

吃比期，是重庆术语。原来重庆那个内地商埠，原先就有高利贷，其存放、收款，都以半月为期一结，月中十五为小比期，月底三十为大比期。到期之日，借方付利还本，贷方收利收本，除非得双方同意，才加延长。自然当时利息并不太高。

民国卅年，因为通货膨胀，物价飞涨。那时候，便有一个心理：存钱不如存货。法币的信用垮了。于是银行收了存款便囤货，囤了货又拿这货物去向中央银行，或其他银行抵押取款，取了款来又囤货，辗转囤，囤得越多，利润越厚，甲银行如此，乙银行亦如此。中央银行后来便不肯放款，但是物价涨得凶，银行便宁愿出高利钱去吸收存款，那时候的心理是只要借得到钱，便发了财。这完全是因为物价涨得太快的缘故。

于是利钱，便一天一天涨上去。

这利钱有两种，一种是官价利钱，一种是黑利。

黑市利息的产生

官利，即是合法银行的存款利息。如果你拿钱到银行去存，定期的存款利息高，活期的存款利息低。定期时间愈长，利息愈高。

定期存款利息如下：一月期利息二分五，三月期二分六，半年期二分七，九月期二分八，一年期三分。

活期存款有章程存款，年息一分，月息八厘。市息存款，优待往来户的，年息一分五厘，月息一分三。

这利息并不太固定，有时银根紧，利息便要增加。但是一般说来，这利息是太低了，并不能保值。因此一般人多半在银行里开一个户头，办理收交，等于当他一个帐房，实际上半个月一个月不用的款子，都另外放出去的。

黑利也者便是放给银行的帐外存款，放给货帮、地下钱庄、商店、当铺的非法存款，其利息特别高厚。

重庆一般银行存款利息，银行公会要公议价格，不方便随意提高。但是实际上银行仍有黑息。如果你认识银行的业务人员，把你的钱，按规矩存了，但另立字据，加你的利息，银行借出去时，也是一方面取官息，一方面取黑息。两套帐目，一明一暗。在上海一般银钱业中新起的后起的小规模的，仍有一部分公开布告有一种优待存款利息，或者看熟悉情形另贴黑息。但是上海新华聚兴诚浙实浙兴等大银行便不兴此套。

放给货帮商店当铺的利息，要比普通的银行存息高。银行存息和欠息之间，约差一角，如廿六年四月初，银行存息三分以内，银行放息为一角三分半，存放之间的差额约一角，为银行所赚。货帮商店当铺，他们本自银行接受一角三分半的欠息，他们向银行借钱，如果有人愿意直接借给他们，不必经过银行，那当然肯把较高的利息。这种利息多与银行欠息同。不过多半是由亲友关系托存时，货帮商店当铺才收受。

地下钱庄的兴起

地下钱庄其实并不神秘。如果一个人或一个公司他做生意的朋友多，又有一批朋友托他放钱，他把这钱转放出去，这便成为地下钱庄，居然融通有无了。这种地下钱庄不像银行，没有总协经副襄，人少机构简单，因此它在存息与放息之间，只取三分的差额。假定放息为一角三分，则存息为一角。放在银行里比较可靠，放在货帮商店，如有戚属关系，也还可靠。地下钱庄如果不是稳妥者（放高利贷的人多半没有良心），可能连本吃去。故每遇外面工商业难做，危险大时，这些游资又回银行。

吃比期的利息，往往跟欠息走，即是跟金融业的放款息走。放款息的高低，又依工商业生意好坏而定，物价高涨生意赚钱，一般商人想多做生意，拼命借钱，于是欠息就提高。如卅六年二月中紧急措施以后，投机暂冷，货物滞销，生意不大好做，利息便由二月中旬的二角跌到一角三。卅六年四月起米纱油上涨近一倍，物价益昂，利息便由一角三升至一角九（以上都是月息）。

如果物价波动稍少，那时期放比期是比较有利的，例如一万元，放一年，利息一角三分半，便可以有本利四万五千六百元。例如卅五年三月至八月，物价波动少，但利率约一角五，三月至八月五个月息，一元可变作二元三角一。

卅五年因为物价上涨不烈，而利息甚高，可以说经营工商不如放利，利率平均为一角五分，物价上涨约每月百分之十五。卅六年物价升涨极快，利息一角五至二角，但物价上升每月百分之二十五，吃利息比囤货是吃亏多了。许多人厌恶的高利贷，现在许多小有产者为了保值，也不能不碌碌于存款取息，俨然以高利贷者自居了。

三　买股票，套利息

稳妥的股票保值

吃利息，有倒帐的危险，放在小银行钱庄危险，货帮地下钱庄更危险。自卅五年冬，工商不景气以来，倒号破产，已不是丢人的事情。卅五年八达绸厂，拿了一笔生产贷款数亿元，次日便告倒号。倒号之后，至亲好友，也不能向他讨债了。

较之放利息稳妥的，便是买股票或者套利。

证券买卖的动机有三，一种是储蓄，买股票现货，一种是投机，买卖现期货，一种是套利。

普通一般人买股票是储蓄的目的，因为股票放在手头，既不犯法，要卖出去，又易脱手，而股票价格又自动上升，无形中保值。

股票因为是代表一个工厂的所有权，工厂的设备会增值，股票自然要增值，因此股票历年来一直上涨。

股票市价比较表

	廿八年	卅四年十月	卅五年九月	卅六年三月	卅六年十月（十五日）
永纱	98	590	708（新股）	2,715	180（新股）
美亚		440	4,260	6,083	490（新股）
新光		45	307	740	31（新股）
景福		35	289	758	24（新股）
会德丰（洋股）	18	5,600	17,600	58,333	52万
怡和	18	2,250	8,900	19,000	19万

由以上可知股票价值上涨之剧。

证券交易所二月中旬所作统计，如以卅六年初开盘市价为准（一百），到二月中，上涨达二倍者甚多，统计如下：

三十六年春股票急涨表

股　票	卅六年二月十五日指数
中纺	200
信和	241
荣丰	179
新光	325
景纶	210
五和	200
中丝	163
大中华火柴	195
中国水泥	361
永安	221
国货	137
永安	275
统益	195
中国内衣	230
景福	261
勤兴	316
美亚	211
新亚	234
华丰	435
九福	155
丽安	220
商务	248

如果在卅六年初，买进股票，二月中旬，便可以赚个对本以上利息。如果买华丰，则一万元便可以变作四万三千五百元。由此可见，股票长期来说，可以保本，短期来说还可以赚钱，倒不失为中产阶级保值的工具。以上都是每股价，向证券号经纪人买零股，十股百股，约数十万元，倒是一般小市民能买的。

股票的投机办法

买股票另一种动机是投机。即是说，并不准备把股票买来存起，而是随时买进看涨，一涨便卖出。这种情形卅五年四月最盛，卅六年三月四月最盛。

要投股票的机，看涨，必须看准时间：凡是市场上物价波动甚少，生意不好做的时候，银根松，大家便来买股票，或是各厂估值增资，加发股票的时候，那时股票便会猛涨。

卅五年的四月间，正是外汇市场开放，黄金被贝淞荪压住的时候。于是游资转向市场，华股公债外股都猛一跳。

卅六年的三月间，因为二月中旬紧急措施，黄金美钞不准买卖，物价又不准涨，游资没有出路，华股便猛烈上升。同时市场上又传出宋子文去职的消息，工商界松一口气，于是华股市场上投机的人陡然多了。

华股上升表（卅六年）

	二月三日	三月八日	五月二日
永纱	838	2,900	5,730
美亚	2,300	7,100	26,680
新光	455	880	
景福	358	880	
永安	235	590	2,715

在二月三日到三月八日一个月之间，华股上涨自一倍到三倍光景，这是骇人听闻的暴利，赶涨风的人，已经不是买股票储蓄，而是赶投机了。

此外，统一公债的买卖只能算作投机，不是投资，一百元票面的统一公债，市面上竟卖到八千至一万四千元，这是因为盛传统债将按千倍还本。但若是不千倍还本，那就要亏蚀了。这种不稳健的做法，简直就是赌博。

套利交易的做法

证券交易所开做递延交割后，还有一种套利交易。那是大规模资金套利息的办法，多半由银钱业做，这也算是股票生息的办法。

套利是利用现货股票与期货（递延交割，约一周的便交）市价的不同，同时买卖，以套取利息。现在做递交的股票有永纱，信和，新光，华丰四种（交易单位很大，华丰套利为十万股，其他为五万股）。

例如卅五年十二月二十六日永纱的行情如下：

现交　　630

递交　　635

中间差额约五元，如果我买进六百三十的现货，卖出六百三十五的期货，到期付款，一星期内净赚了五元，这便叫套利。

交易所后来为套利的人，专设了几个柜，专做套利。有钱要放的人，可以买进现货，卖出递货（期货），取当中利息，这叫顺套，市场上叫“贴进”。如果你需要资金，可以卖出现货，买进递货，付一周的利息，这叫倒套，市场上叫“贴出”。

我们这里谈的是顺套，顺套者希望现递交二者之间，市价差额越大越好，因为利息越高。套利柜前，叫价只叫差额，叫五元，八元，九元。如果叫定为八元，而现交价永纱为四百五十元，则递交价为四百五十八元。

但是另外在进行着的递交现交价钱，要影响到套利行市。如果递交为四百五十六，现交为四百五十，则套利市价比较多一点，四百五十八便可以成交。套利行市随现递差额转。自卅五年十二月十二日证交开做套利以来，永纱的套利行市约自七八元至三十余元。

兹举一个例子，说明套利交易：

某甲于周四委托经纪人，照三十元套利行市套入永纱五万股，成交时，现交买进为六百元，套利利益应依现交价六百元，递交六百三十元计算：

现进永纱 5 万股：

买价	3,000 万
加经纪人佣金	9 万（按千分之三算）
成本	3,009 万

递出永纱 5 万股：

卖价	3,150 万
减经纪人佣金	9.45 万（按千分之三算）
减交易税	1.575 万（按万分之五算）
纯卖价	31,389,750 元

一周纯利　　　　　　1,299,750 元

合月息 $\dfrac{1,299,750\times 30/7}{30,090,000}$ =0.1851=18.51% 即合月息一角八分余。

实际上套利的利息并没有如此之厚，普通约在一角左右。但在利息高涨时，它的利息也往往剧涨而超过之，例如卅六年十月利息高时，套利达二角余。证券交易所套利，较之普通放款可靠，因为买卖都有证据金，亏赢天天有统计，不至于损失。套利买卖，便成为银行无法投资时，运用资金的一法。

纵观华股，外股，性质都相仿，确是一般小有产者保值的一种工具。也是有钱人套利的工具，投机的工具。至于公债，不论统一公债，甚至现在发行的美金公债，都是不可靠的证券，投机赌博则可，投资保值，则太不可靠了。

自卅六年七月至十月股市，稍形盘旋。许多人做投机，都吃了亏。这是因为各股增资以后，如永纱一变五十，信和一变十四，都使股票筹码增加，不易立即上涨。本来按上半年的涨势，股票超过物价，而下半年物价涨风发动，自然是物价先于股票，但在卅七年初，可能是

股票再度上涨与物价看齐的时候。

四　买黄金做储蓄

买黄金做储蓄的办法

通货膨胀之下，投机必定盛行。尤其是黄金、外汇，便成为通货保值最为方便的工具。大概而论，内地人特别欢喜黄金，海岸人特别欢喜美钞。这里我们先来谈谈黄金。

抗战以前，黄金也有投机，那是小规模的，利用金银之差额，外汇即金，货币即银之间的差额，套取小利益。一般而论，除了国际市场金贵银贱的影响之外，波动极少。

法币政策实施以后不久，抗战爆发了。那时金银都要归国有，私人买卖黄金是违法的，于是黄金无买卖。后来国军撤出上海，上海便有了黄金交易。大后方自民国卅二年起实施黄金政策，开始买卖黄金。随着大后方法币的通货膨胀，和沦陷区中储券的通货膨胀，黄金便成为投机市场的标的了。

抗战的第五年，卅一年，国民政府深知通货膨胀甚烈，便想以黄金出售来收回一点通货，当时国内自有黄金八万一千七百十六两，再加上美国贷款中拨二亿美金买了五百六十万两，便开始实施所谓黄金政策，自此便有黄金市场。

抗战数年间，政府的黄金出售官价也不断上涨，单自卅三年三月的官价二万元到卅四年八月的官价十七万元，计涨了九倍。

当时的黄金买卖，是由中央银行委托中国农民和中国国货两银行售出的。无论是谁，都可以去买，从一两起到若干金砖为止。这叫黄金现货。当时买了黄金现货的人，没有一个不赚了钱。

此外，还有黄金期货和黄金存款。

黄金期货是卅三年十一月现货卖光以后卖的，无定期，货到即交，仍由中农，国货售出，一直售到卅四年五月。

黄金存款是卅三年八月起办，售半年期的黄金期货，一直卖到卅四年五月，存款由四行两局同时举办，而且在各大都市都可以存。

抗战期间买黄金的人，是赚钱还是蚀本？是否能够保值？

凡是买现货的人，无不赚钱，小者也可保值。例如卅三年初一万六千元买进，到卅四年八月胜利前夕十六万卖出，可以赚八倍至十倍，这比当时利息大一分，划算多了。即以抗战胜利后回跌八万元官价，也涨了五倍，按大一分以上利息也是合算的。

凡是买期货和黄金存款的人，大半吃亏。买黄金的人，因为市面上黄金价钱稍高，去买政府的官价期货和官价存款，结果后来期货久不兑现，买者先就吃了利息的亏。存款半年不兑现，而且后来还宣布黄金存款征四成，结果是蚀了本。因为卅四年四月存的是三万五千元，兑现后每两黄金去掉四成，按官价十七万计算，还有十万元，本来还合算。但是卅四年八月抗战一胜利，金价跌至八万，扣掉四成，剩了四万八千元，就合不上拆息了。

当时重庆的银钱业无不染指黄金投机。中小有产者间，太太的私房，公务员的储蓄，都拿来买黄金，其中最热闹的是卅三年和卅四年。卅三年正好是后方不景气开始，货物滞销，工厂停工，各业资金都转注黄金。卅三年黄金黑市由一月的一万四千五百元，升至十二月的三万六千六百元，卅四年黑市由一月的三万六千元升至八月的十七万元。

当时的黄金，也有二种做法，一是储蓄，一是投机。储蓄，我们已在上面说过，即是买进后，长期待涨，以保全购买力，完全合算。另一种是投机。

黄金投机热

投机家在黄金交易上，着眼在暴利，假定他看准黄金可以涨百分之三十，他便敢借百分之二十（月利大二分）的本钱，去买一批黄金，以待涨价，赚这笔百分之三十的利润。万一是涨不到百分之十，他就算蚀了百分之十。银行，货帮，他们多半不是储蓄者，而是投机家，因为他们是看准了涨价，借别人的钱来做生意的。投机近乎赌博，有时赚钱，有时蚀本。

战时投机家，注意的是政府几时调整官价。那时候黄金现货无限制卖出，黑市价钱高不了多少，因此指望中央银行加金价，投机家在黄金投机上，有几次有声有色的战役：

卅三年六月底谣传黄金加价，各行庄大量扒黄金。加价确有其事，但泄漏过早，官方索性把官价回挫一千元，许多银行过不了脚，把黄金反吐出来，这次叫“中央银行杀多头”，是投机家失败之役。

卅三年冬季，因为政府停售黄金，许多投机家不信任政府马上能运金子来，便大量扒进，果然，现货不卖，卖期货和存款，于是发生黑市，而且疯狂上涨，大赚其钱。

卅四年三月廿九日，官价由二万元，提到三万五千元。许多投机家事先得到消息，拼命购进，或借私人关系，去国家银行补购，造成黄金案。其中买现货的赚了钱，买黄金存款的因为事发，统统退还。这场公案，直闹了三个月，都没有结果。

每次调整官价，都有些人投机中了，赚钱。大凡调整官价之前，买卖剧增，可见得官方有关的人，极易图利。大概了解政府库内虚实和各种作为，有些关系的人，都赚钱，反之则吃亏，例如买黄金存款的人，便太相信政府信用，结果吃了亏。

沦陷期上海黄金投机

上海沦陷期间，也有黄金市场。因为法币不值钱，中储券也不值钱，上海人争买金子。到卅年太平洋战争后，敌人占领上海，也实行黄金政策，即从国内搬黄金来换取通货以购买物资。这时敌人卖现货，汉奸周佛海任财长，也发行金证券（类似后方存款，不过只一月期），双管齐下。当时买黄金的市民还借此保存了一点购买力。

上海黄金价格表（以每年十二月为准，卅一年至卅四年中储券为准）

年　代	金　价
廿七年	1,999
廿八年	4,135
廿九年	6,022
卅　年	13,249
卅一年	31,461
卅二年	95,880
卅三年	730,571
卅四年八月	3,000,000

上海的黄金投机，更为盛行。投机家做的是期货，仿照战前金业交易所办法，每月十五日交割掉期，金价按汇价结算，买卖期货只缴证据金，这种投机可以使人暴富，也可以使人倾家荡产。

胜利后的黄金投机

胜利以后，有一个短时期，大家幻想通货膨胀会停止，物价会跌，黄金会跌。但是不到几个月大家都知道受了骗，自卅五年春节后，黄金即领导物价上涨，这种情形，一直延续到卅六年二月初。

宋子文的黄金政策，是自认黄金量足，可以在通货膨胀的情形下，抑住物价。黄金由中央银行出售，通过二个系统，一是金号，一是银楼。中央银行是总批发，金号是分批发，银楼才是零售。出售的方法一是明售给银楼金号，一是委托同丰余等金号银楼共五家，在市场上秘密抛售。起初，卅五年三月间，中央银行尚企图钉住金价不让动，后来便自知通货膨胀之下勒不住的，转而图牵制，拖延金价上涨，暗抛任务即在与投机家斗法。

卅五年三月间，上海中央银行正式抛售以来，金价节节上涨。一年之间，上涨情形如下：

卅四年十月	574,770
十一月	838,880
十二月	731,374
卅五年一月	856,844
二月	1,413,729
三月	1,562,917

续表

四月	1,790,000
五月	1,820,000
六月	1,920,000
七月	1,948,000
八月	1,990,000
九月	2,160,000
十月	2,170,000
十一月	3,200,000
十二月	3,600,000
卅六年一月	3,930,000
二月	8,500,000
二月十六日官价	4,800,000

上涨的百分比，卅五年度据上海市政府统计室发表如下：

卅五年一月	100
二月	162
三月	176
四月	172
五月	195
六月	211
七月	214
八月	224
九月	236
十月	246
十一月	299
十二月	350

黄金一年之内，上涨了三倍半，这合月利大二分以上。卅六年一月到二月，黑价由一月的三百三十五万一条，涨至八百五十万，约为三倍弱，即以官价收价四百八十万为准，亦涨了百分之六十，合月息大二分五以上。因此，黄金确是保值最好的工具了。

一般投机家做黄金，卅四年一年都不顺利，因为中央银行的暗抛，以投机对投机，你要促金价涨，央行便抛压。尤其是卅六年初春节前，一般谣传中央银行金尽，投机家大购，宋子文却把央行藏金孤注一掷，一天抛了五吨，把许多投机家都弄得破产，建国银行及一些银号因此关门。直到卅六年二月初，投机家看准了春节后游资多，一方面央行负责黄金政策的人可能与之勾结，探知了虚实，猛投一次机，结果大发其财，中央银行坍了台。

禁止黄金买卖以后

政府二月十六日公布的经济紧急措施方案规定不准黄金买卖。对于大户，这是失掉一个投机市场，对于中小下层，却也失去了一个保值的工具，但是，政府既然无力去收购黄金，也不能用黄金国有的办法收集民间存金，则黄金仍然流通民间，黄金买卖自无法禁绝。因此，可以放心的是，黄金不愁卖不出去，也不愁买不进来。

据我的估计，美国买来的黄金有五百七十万两，中国原有八万一千多两，敌伪接受过来的六十万两，这都卖给民间，故约有六百四十余万两。加上敌伪时期抛售的黄金及中国人祖传黄金，目前中国人的藏金，总数约近千万两。

马寅初氏呼吁，有黄金美钞的不要卖出来，有其道理。现在政府黄金收价四百八十万元一条，以美金合国币一万二千元计算，约四十美元。现在美国官价三十五元，实则运到墨西哥做成首饰运出口，约四十四元，到香港澳门约四十四到五十美元，印度等地金价尤高。将来中国金价至少在五十美元以上。即使国内不能卖，以此改买外汇也合到五十美元。同时，政府根本无理无法禁绝金类交易，银楼开放，便是零售开做的先声。卅六年四月黑市又升腾到了官价二倍强。卅六年八月政府决定黄金收兑价为合美金四十元，实在是低估，但无人肯将存金卖给央行。

黄金外汇逐渐代替货币作为计算单位了，上海的房子顶费论金条，大交易亦论金条，外国房产，租金论美金，这都是法币崩溃，失去货币机能的象征。紧急措施对此严加禁止，但实际上是无效的。黄金这宠儿，将来不仅是保值的特种商品，而且是法币崩溃后的代替通货，虽然在今日投机市场上它还要对外汇，商品礼让三分。

五　买外汇做投机

外汇是都市宠儿

如果说黄金是内地人喜欢的保值工具，则外汇便是都市人的宠物。外汇较之黄金更为吃香的是黄金还不能变外国货，赚钱，外汇却能，因此外汇在通都大邑尤为风行。但是外汇并不是小有产者所能拥有的，因为票面大，值钱，所以只是中上层，或是智识份子才能买的。

外汇可以分几种：一种是存在国外的存款，或是存在纽约的美金存款，或是存在伦敦的英镑存款，卖的人，开一张支票，你就取到存款，自由运用。这种存款大半是达官贵人才有。因为这是大笔的，而且多是抗战初期买下来的。或是做出口生意的人，卖下货来存的款子。这叫美金存款，或叫美金汇票，数额必大。买的人，多为巨富，或为进口商人。一种是美钞，太平洋战争以前的上海，美国人留下的美钞不少流通市面，俗称为绿钞（因为多是绿色印刷），太平洋战争后的重庆，因为美军来华，有小量流通。美钞大量流市面，是胜利以后的事，因为当时美军数万人驻防中国，政府为了维持美军高度生活水平，让他们自卖美钞，而且指定钱兑庄二百家代理兑换，结果大量美钞在由平津上海青岛使用出来，据说到现在尚有一亿元流通民间。美钞有大票小票之分，小钞五元，十元，反而卖不起价钱，因为太少了不顶用。一种是港票即是香港汇丰银行的钞票，俗称红票，港纸本有新旧港票之分，旧币即一九三〇发，较吃香，现在已一律看待。港钞在沦陷后的上海流行，胜利后，香港工商繁华，代替上海成为国际贸易中心，有英镑作后盾的港钞又逐渐吃得开了。一种是美金储券和美金公债，均为抗战期间政府所发，美金储蓄券多半已兑出，美金公债还在抽签发本当中，数量较少，现在上海已没有流通，但是重庆现在还有美金公债的市价，大概因为当时摊派到地方上去的缘故，其市价卅六年四月约值九千。

外汇投机与抗战同时开始

抗战一开始，便开始了外汇投机，那是买外汇汇票。那时候，外汇是自由买卖的，无论谁要买外汇都可以照卖，并以此表现法币价值扎硬。政府外汇不够，便向英美商借外汇，维持十四便士的官价。从廿六年到廿七年卖出外汇很多，单在“七七”到“八一三”卖了七百五十万镑。后来开始外汇审核，于是有一个官价，有一个黑市，政府恐怕黑市跌得太凶，在上海仍由中中交农出面卖黑市使之跌得慢。这个时期，一般达官贵人纷纷购买外汇，一方面求保值，一方面为异日寓公生活作准备。这个期间消耗的外汇总在四万万美金以上。这些人现在都发了大财，例如廿八年每百元换美金三元又八分之一，约三十元换美金一元，等于他的三十元，变成了现在的一万二千元，加了一千五百倍，这是多大的利息！如果拿官价去买，三十年到三十四年，都是二十元换一美金，那更是利市百倍。不过，除了抗战初期，这种购买外汇资金逃避极端自由外，后来就不行了。享受购买外汇特权的是大官僚大银行家，凭借一些政治关系，可获核准，买便宜外汇。中央政府也以这便宜外汇来津贴党官和党报，以及林语堂一流文人。抗战初期外汇投机成绩很可观，到太平洋战争前为止，中国人在美国的存款达三万五千万美金。

抗战后期，重庆被封锁了。那时候的投机集中在美钞买卖，此外有美（公）债，美（储）券，教会金库支票。最盛在卅三年和卅四年。

卅三年美金黑市表

	美钞	美金公债	美金储券
一月	84	70	82
二月	134	122	142
三月	255	125	135
四月	235	120	131
五月	210	108	128
六月	200	106	140
七月	204	110	137
八月	208	113	138
九月	255	115	165
十月	292	121	190
十一月	680	250	400
十二月	645	230	330

外汇多由上海迁川的银行做。

到卅四年更形猛涨，五月二十日美钞七百五十元，六月初达一千元以上，八月间上涨至三千元。

此外，当时还有一个教会联合库，每月出售一百万美金，都是美金汇票，每年达千余万美金，教会美金汇票的价钱，仅比美钞低五十余元。

所有在战时买美钞的人，没有一个不赚钱。自卅三年一月的八十四元到卅四年八月的三千元，上涨约四十倍。即以胜利后的“二千零二十”低汇率估计，约涨二十五倍，其利润之厚无比。不过买美金债券和储蓄券的人，还是略吃小亏。美金储蓄券，在战时因为美国冻结中国存款，到期存款不易取出，战后中央银行规定储券到期如无正当用途，要卖还给它。美金公债也有相仿情形。

战后的美钞投机

抗战胜利以后，上海投机的筹码是美钞，而不是美汇。按照中央银行卅五年三月开放外汇办法，防止美汇投机，进口必须货到结汇，出口必须事先结汇，然后海关放行。这意思，便防止纯粹的买美金汇票，外汇只准作贸易用。不过这般大官僚是否别有门路，逃避资金到美国去，则未可知，但一般小民是绝对无法买外汇汇票的了。可以公开做投机的，是美钞港票。当时规定有二百家钱兑庄买卖美钞，市民随时可以买进卖出，许多人借此保存了一部分购买力。

胜利以来美钞港币行市表（黑市）

	美钞	港币三十年
卅四年九月	900	85
十月	1,700	290
十一月	1,315	220
十二月	1,422	225
卅五年一月	1,630	250
二月	2,000	385
三月	1,600	430
四月	2,470	460
五月	2,330	420
六月	2,650	575
七月	2,490	560
八月	3,350	710
九月	4,010	810
十月	4,200	910
十一月	4,930	960
十二月	6,400	1,250

卅五年内，美钞港币的上涨，上海市府统计室作了一个统计如下：

月　份	美钞	港币
卅五年一月	100	100
二月	140	144
三月	137	176
四月	143	170
五月	157	176
六月	175	197
七月	171	230
八月	197	269
九月	242	308
十月	282	373
十一月	306	387
十二月	401	409

卅六年度上涨更速，即以二月份一万二千官价而论，亦上涨一倍。由卅六年一月到十二月，市价可能涨五倍，黑市价可能涨至一万二千元的十倍左右。

由此我们可知卅五年美钞投机者获利甚厚，约为本钱的三倍，利息达大二分以上。卅六年年初到二月十六日，即一个半月买美钞者对本，合月利大四分以上。

美钞黑市禁止得了吗？

当局宣布美钞投机为非法以后，上海经营黄金美钞的钱兑业，迫于生计，仍有经营。中央社亦曾报导四川路桥附近钱兑庄大做美钞黄金买卖，在美国海军青年会门口，也有买卖，可见当局虽然捉了一个洋老虎马斯伯（他开的公司，经营美钞，集中外交易之大成），但是仍然禁不绝交易。

现在流通在中国的美钞，约有一亿，由于美军减少，筹码可能渐趋枯竭。央行一万二千元的收价，到目前为止，只收了一千万美钞，为数不多。惟现在的美汇买卖似最吃香，数目较大，很卖得起钱，约高出百分之四十。一般大票或巨额美钞亦易脱手，倒是小票零数少有交易。黑市外汇卅六年四月曾上越三倍，这是因为“不需外汇，可以进口”的办法，于四月中旬公布了三天的缘故。依照目前外汇市价开放的情形看，将来外汇仍要看高。不过美钞美汇今后小有产者已比较买不起了，可能是大官巨宦投机的筹码了。

六　商品的投机与囤积

由钱变货的运动

货币学的理论，告诉我们，当货币崩溃的时候，有一种由货币到商品的运动，即是有钱立刻变货，不愿意留钱贬值，而愿意留货保值。由钱变货，即是商品投机，普通叫做囤积居奇，或垄断市价。

商品投机是民国廿九年开始的，首先是因为纱布缺乏，价格奇涨，于是有人囤积居奇，价格本来上涨的商品，碰到囤积居奇，便越发上涨。不久以后，粮食也上涨了，囤积粮食的人更多。以后百货五金，几乎无货不涨，法币贬值的现象显著。那时候银行里钱都不借出来了，囤货就是。有一位记者问新开张的银行经理："你们最近预备做什么业务？"经理指着后面山积的货物说："进了一批布！"有钱就借，借了就囤，囤了就发财，这是廿九年的经济哲学。利息之提高也起自那时。卅年以后虽说囤积居奇要检举，并有经济检查队随时干扰，但是囤积居奇仍然技巧进行。一般大户靠这锦上添花，大发国难财，小有产者也跟着买点肥皂、香烟、八卦丹、万金油、阿斯匹灵，存在家里保个本钱。直至卅三年后方开始不景气，人民购买力低，货物才停止直线上涨，这时候的囤积居奇，便要有眼光了。碰得巧，大赚钱，碰不巧便划不上拆息。

上海沦陷时的商品投机

沦陷以后的上海投机市场，又进行着轰轰烈烈的商品投机，下列几种商品尤为普遍的筹码：（一）棉纱，以二十支双马厂单，四十二支蓝凤纱，做期货现货买卖；（二）棉布，以十二磅龙头细布，和四君子哔叽二种，和各种阴丹士林为多，在棉市场均做期货现货；（三）糖精、奎宁，万金油、八卦丹、鹧鸪菜，由西药行卖出或买进；（四）卷烟，以大英牌老刀牌为主，在市场买卖；（五）人造丝，以日货一百廿号有光天桥牌人造丝做筹码；（六）米粮，食油，豆饼，杂粮，都有人做，尤以米为最，做米的投机家称为“米蛀虫”。在青黄不接时，便乘机扒高。由于沦陷区的伪中央储备银行通货膨胀甚速，所以商品的投机最盛。

胜利以后物价再涨

抗战胜利以后，有一度和平幻象，人民以为通货膨胀会停止，货物跌价，通货要值钱。运动的规律倒过来，由货变成钱。可是卅五年春节，金价领导物价上涨，便打破了幻象，商品投机复炽。可是由于宋子文引进来大量美国货，商品市场的上涨便曲折了，例如卅五年三月至八月，因为低汇率二千零二十，和中央银行抛售黄金政策的影响，涨得很少。大概而论，卅五年的投机流年是：春节金价米价跳，春夏之交是华股跳，米粮跳，秋天是外汇外货跳，冬天是金价美钞物价齐跳。

卅五年的商品，由战前的九百倍跳到战前的五千七百倍，上涨约六倍。这比黄金涨三倍半，美钞四倍，港币四倍，华股二倍，还要高些。其中涨得最凶的是米面粮食，涨了九倍，建筑材料涨了十倍，燃料只涨三倍，纤维涨了三倍，金属涨了六倍。米蛀虫大概都发财，但是做工业原料的工人，便一度大吃亏，后来价钱才好起来。

卅六年二月的涨风

但自从卅六年二月初以后，商品涨势便更猛了，这是因为通货膨胀更凶的缘故，使全盘投机盛行。例如白粳一月二十七日是六万九千元一担，二月一日达八万九千元，黑市越九万元大关。薄稻米由六万五千元，挺至八万四，面粉每包由三万二千元升至四万一，生油由十七万六千元升至十八万二千元，棉纱四十支蓝凤每大件由四百六十万元，涨至五百十万元，二十支双马由二百十八万升至二百七十五万，十二磅细布由十八万八千元升至二十二万二千元，卷烟大英牌由每箱二百四十万升至二百五十五万，美丽火柴每箱九十六万元升至一百二十三万元，固本皂十一万四千升至十四万五。十二日，白粳一度过了十四万，二十支特双马达六百万，十二磅龙头细布过二十二万二，兵船粉过五万一千，生油过三十二万，物价指数由战前八千五百倍（二月三日）升至一万二千九百倍（二月十一日），这一次物价上涨几乎为百分之五十，是全面的上涨。

卅六年四月的狂涨

二月十六日的经济紧急措施，擒贼先擒王，把领导物价上涨的黄金美钞统统禁止买卖，认为从此物价可以相安无事。但是实际上，这很危险，因为投机少了二条出路，可能都集中力量来弄商品，例如四月初物价的涨势，便更澎湃了。

四月初物价上涨表

物　品	三月底	四月前后	五月一日
食油（篓生油）	25 万	40 万	56 万
大豆	6 万	9 万	18.5 万
台湾中砂糖	22.8 万	35 万	45 万
白粳	10.9 万	14.4 万	24 万
白元	12.9 万	6 万	28 万
四二支蓝凤	730 万	920 万	1360 万
二十支特双马	380 万	530 万	660 万
十二磅细布（ABCD）	13.7 万	18 万	18.5 万
浦东火机（花）	39 万	60 万	
白洛去（棉花）	81 万	110 万	

这次涨价，一般都超过百分之三十。而且市政府对于平抑物价的方策，多半是放宽限价，米便由十一万逐渐放到十四万，食油由二十五万放到四十万。由此可见，物价涨势，已由从前的大涨小回，转为大涨小住，盖小住后再涨也。

卅六年九月涨风

卅六年七月本即酝酿涨风，因为魏德迈来华，而见中止。八月十七日当局局部开放外汇市场后，物价即开始上涨，而形成所谓九月涨风，迄十月上旬始告中止。

九月涨风是自八月第三周开始，至十月第二周而达最高峰。物价总指数（中国经济研究所公布）八月二十三日为五万三千五百九十倍，十月六日至十月十一日为八万八千七百零五倍，涨起百分之八十。其中化学品及燃料涨起一倍半，杂项，纺织品，金属品涨涨起八成到九成，建筑材料及食物涨起七成之谱。进口品之猛涨与当局对于自备外汇货迟不放行有关，米粮纱的上涨与战事剧化，物资益形缺乏有关。由此次涨风绵延之长，及涨风之普遍，商品尤其是日用必需品的上涨如此之，已可见物资缺乏的严重。

根据这次物价涨风判断，今后的商品市场，将成为一切投机的中心标的，代替金汇而领导涨风。

商品投机可能更炽

据目前情形估计，卅六年度因为黄金美钞被禁止买卖，不便公开投机以后，一般游资可能往商品投机，造成更猛烈的涨势。而且现在中国外汇枯竭，中外贸易濒于断绝，外货益贵，外国原料一贵，中国工业出品，如纱布（靠美棉），橡胶用品（靠南洋橡胶），五金电料（靠外国零件），火柴造纸卷烟化学工业等，依靠外货原料，均将上涨。同时中国农产品受内战消耗，供不应求，从豆麦杂粮一直到棉花等等，均将一一上涨。物资的缺乏，造成涨的可能，青黄不接之际，尤将为物价大涨的时机。

卅六年度的投机流年是：开春商品、外汇、黄金、华股都满堂红，二月至三月是华股跳，四月是米粮油纱领导跳，外汇也跳。六月因为魏德迈来华，流年不利，稳了一个多月。九月黄金外汇跳，十月物价大跳，年底可能又是商品股票金汇再来满堂红。自然其中魁首是商品，其次才是金汇，股票因时局不定涨度稍差。

商品投机，不比放拆息稳有进帐。尤其在物价波动较曲折时期，可能蚀利钱，甚至贴老本。因此这就需要一点市场眼光。上海商人按季节的循回，货物的畅销时令，编排一个市场的动向表。此外又有经济报纸，以统计表格的方式，制作物价走势表，华股走势表，外股走势表，黄金美钞走势表，以作观测市场动向的参考。同时又多方察探市场消息。也有人，把握住涨价平衡律，看甲物上涨，估计乙物即将扯上去。这种投机，愈能把握市场的供求动向，愈能操必胜之券。大投机家有时以自己雄厚的资力，人工制造涨势，这便叫垄断市价了。这种人称之为“米蛀虫”，“油耗子”，“纱老虎”，杀之人人称快。

小市民的生意经，便令人同情而发笑了。许多小市民买些肥皂，香烟在家里，有时发霉而损失，有时因为不识货而受骗。他们没有仓库，可以保存，出售时又受承购商店的勒压。有一个朋友，从香港带万金油到上海，才知道他看的是零售价，上海批发价更低，吃了一个亏。这一切都因商人欺生而起。为保值而做生意的市民，稳健一点，多半买米店的米单（现在禁止了），买棉纱市场的小件纱布，或是贵重西药。其货物大致必须合乎二个条件：一是容易保存，件小不易霉坏，一是容易脱手，必须是“熟”的。

投机是通货膨胀的孪生弟兄。愈是货币贬值，投机愈甚；投机愈甚，贬值愈速。投机炽烈的时候，又是通货崩溃的时候，因为这证明了这种货币已不适宜于贮藏，而且也不适宜于计值，这便是通货膨胀末日的象征。

三联经典文库第二辑简目

《游击战教程》　明凡 / 著
《游击战术纲要》　陶剑青 / 编著
《汪精卫卖国的理论与实践》　钱俊瑞 / 著
《抗战以来》　韬奋 / 著
《陕行纪实》　楚云 / 著
《随军散记》　沙汀 / 著
《被日寇囚系半载记》　王研石 / 著
《倭营历险记》　房沧浪 / 著
《活跃的新西北》　田影 / 编著
《保卫华北的游击战》　刘清扬　陈北鸥等 / 著
《徐州突围》　《徐州突围》编委会 / 编
《沦亡的平津》　长江　小方等 / 著
《淞沪火线上》　胡兰畦等 / 著
《瞻回东战场》　长江　罗平 / 著
《东线的撤退》　胡兰畦等 / 著
《抗战中的西北》　徐盈 / 著
《鲁闽风云》　徐盈等 / 著
《西线生活》　西北战地服务团集体创作

《中国解放区见闻》　［美］福尔曼著 / 朱进译

《全面抗战论》　潘汉年 / 著

《日本的间谍》　范士白自述 / 尊闻译

《日本大陆政策的真面目》　国难资料编辑社 / 编

《民众动员论》　李公朴 / 著

《中国外交史》　钱亦石 / 编著

《太平洋军事地理》　蒋震华 / 著

《世界经济地理讲话》　思慕 / 著

《列强军力论》　［德］马克斯·威纳尔著 / 宾符　仲持　梅益等译

《近代国际关系史》　张铁生 / 著

《太平洋现势手册》　沈志远　石啸冲 / 编著

《近代世界政治史》　钱亦石 / 著

《从战争到和平——一九四五年的世界政治》　乔木 / 著

《战后日本问题》　思慕 / 著

《最近一年间的国际动态（1946.7–1947.6）》　《东北日报》社 / 编

《论政党》　翟放 / 著

《法与宪法》　韩幽桐 / 编著

《中华民国宪法刍议》　罗家衡 / 著

《民主·宪法·人权——作之民》　费孝通 / 著

《宪法论初步》　潘念之 / 著

《对反民主的抗争》　韬奋 / 著

《农村改进的理论与实际》　江恒源 / 著

《上海产业与上海职工》（上下）　朱邦兴　胡林阁　徐声 / 合编

《陶行知教育论文选辑》　陶行知著 / 方与严编

《中国通货膨胀论》　杨培新 / 著

《中国及其未完成的革命》　H·普拉特著 / 蒋天佐译

《中国的建设问题与人的训练》　卢作孚 / 著

《论中国特殊性及其他》　艾思奇 / 著

《中国经济问题讲话》　钱俊瑞　徐雪寒　王渔邨　姜君辰　骆耕漠 / 合著

《中国经济的道路》　许涤新 / 著

《中国财政之病态及其批判》　孙怀仁 / 著

《官僚资本论》　许涤新 / 著

《五四运动之史的评价》　陈端志 / 著

《中国通史简编》（上下）　中国历史研究会　范文澜 / 主编

《论文学的工农兵方向——读〈在延安文艺座谈会上的讲话〉》　雪苇 / 著

《中国近代史（上编　第一分册）》　武波 / 编著

《文学百题》　傅东华 / 编

《中国史学之进化》　周谷城 / 著

《论民族形式问题》　胡风 / 著

《论批评》　荃麟等 / 著

《中国史纲》（第一卷上下、第二卷上下）　翦伯赞 / 著

《近代中国思想学说史》（1–4）　侯外庐 / 著

《中国政治思想史》（上下）　吕振羽 / 著

《中国哲学史纲要》　向林冰 / 著

《中国政治史讲话》　钱亦石 / 著

《中国社会经济史纲》　王渔邨 / 著

《新财政学大纲》　千家驹 / 著

《太平天国革命运动论文集——金田起义百周年纪念》

华北大学历史研究室 / 编

《理性与自由——文化思想批评论文集》　胡绳 / 著

《战斗者的诗人》　黄药眠 / 著

《国语文法》　曹朴 / 著

《教育哲学》　张栗原 / 著

《妇女问题讲话》　杜君慧 / 著

《婚姻 · 子女 · 继承》　沙千里 / 著

《性教育新论》　布士克　雅各生合著 / 董秋斯译

《狱中杂感》　杜重远 / 著

《七人之狱》　沙千里 / 著

《爱迪生传》　伍况甫 / 译

《歌德自传》（上下）　歌德著 / 思慕译

《尼赫鲁自传》　[印度] 尼赫鲁著 / 毕来译

《列宁传》　[苏] 凯尔任采夫著 / 企程　朔望译

《罗斯福总统传》　C．Mackenzie 著 / 张尚之译

《托尔斯泰传》（1–3）　[英] 阿尔麦 · 莫德著 / 徐迟译

《革命文豪高尔基》　［美］亚历山大·康恩著 / 韬奋编译

《鲁迅纪念特辑》　新中国文艺社 / 编

《回忆鲁迅先生》　萧红 / 著

《人民文豪鲁迅》　平心 / 著

《亡友鲁迅印象记》　许寿裳 / 著

《鲁迅思想研究》　何干之 / 著

《鲁迅研究》　夏征农 / 编

《过来的时代：鲁迅论及其他》　雪峰 / 著

《电影戏剧表演术》　洪深 / 著

《日常心理漫谈》　［美］约瑟夫·查斯特罗著 / 曾宝施译

《心理常识漫话》　朱智贤　杨云美 / 著

《读书的方法与经验》　王任叔 / 著

《美国黑人生活纪实》　［美］加德维尔　斯坦倍克著 / 董秋斯译

《初访美国》　费孝通 / 著

《事业与成功》　［美］马尔腾著 / 汪原放译

《萍踪寄语（初集）》　韬奋 / 著

《一生的幸福前途——〈生活周刊〉信箱选集》　生活书店 / 编选

《深刻的印象》　生活周刊社 / 编

《海外的感受》　生活书店编译所 / 编